《中国国家创新生态系统研究》丛书编委会

国家出版基金项目
NATIONAL PUBLICATION FOUNDATION

"十三五"国家重点出版物出版规划项目

中国国家创新生态系统研究

国家创新生态系统的理论与实践

汤书昆
李　昂　著

National Innovation Ecosystem: Theory and Practice

中国科学技术大学出版社

内 容 简 介

创新生态系统是在技术创新、知识创新与社会形态创新深度融合情境下出现的一种创新研究新范式。它从自然生态研究的理论溯源，到产业研究和区域治理的实践尝试，再到成为重构战略思维、寻求国家创新驱动力的系统工具，已经成为经济“新常态”下中国国家创新体系建设最新一代可资借鉴的思考范式。本书以国家创新生态理论的阐释为基础，以评价体系的设计和测度为核心，以中国发展策略的分析为落脚点，希望解答“什么是国家创新生态”“怎样理解国家创新生态”等问题，并对“如何评价国家创新生态”“中国应发展什么样的创新生态”做了初步探讨。

图书在版编目(CIP)数据

国家创新生态系统的理论与实践/汤书昆，李昂著.—合肥：中国科学技术大学出版社，2018.8
(中国国家创新生态系统研究)
国家出版基金项目
“十三五”国家重点出版物出版规划项目
ISBN 978-7-312-04555-4

Ⅰ.国… Ⅱ.①汤… ②李… Ⅲ.国家创新系统—研究—中国 Ⅳ.F204

中国版本图书馆 CIP 数据核字(2018)第 192857 号

出版 中国科学技术大学出版社
安徽省合肥市金寨路 96 号，230026
http://press.ustc.edu.cn
https://zgkxjsdxcbs.tmall.com
印刷 安徽联众印刷有限公司
发行 中国科学技术大学出版社
经销 全国新华书店
开本 710 mm×1000 mm 1/16
印张 16
字数 242 千
版次 2018 年 8 月第 1 版
印次 2018 年 8 月第 1 次印刷
印数 1—1000 册
定价 98.00 元

总　序

PREFACE

21 世纪初，随着移动网络技术的发展和创新要素的大范围自由流动，在知识创新、技术突破与社会形态跃迁深度融合的情境下，创新生态系统作为一种新理论应运而生，并引起广泛关注。

创新生态系统理论从自然生态系统的视角来认识和解析创新，把创新看作一个由创新主体、创新政策、创新机制与创新文化等要素构成的动态开放系统。这一理论认为创新主体的多样性、开放性是系统保持旺盛生命力的重要基础，是创新持续迸发的基本前提。多样性的创新主体之间的竞争与合作，为创新系统的发展提供了演化的动力，使系统接近或达到最优目标；开放性的创新文化环境，通过与外界进行信息和物质的交换，实现系统的均衡持续发展。这一理论由重点关注创新要素构成的传统创新理论，向关注创新要素之间、系统与环境之间的演进转变，体现了对创新活动规律认识的进一步深化，有助于研究和解析不同国家和地区的创新战略和政策。

从创新生态系统要素来看，我国既有明显的优势，也存在一定的短板。一方面，我国研发经费已经位列世界第二位，科研人员数量已经位列世界第一位，科研基础设施和科研条件持续优化改善，特别是以习近平同志为核心的党中央把创新作为引领发展的第一动力，摆在国家发展全局的核心位置，并对深入实施创新驱动发展战略、深化创新体制机制改革等作出一系列重大部署，提升了创新体系的效能，有效激发了创新活力。另一方面，我国高端顶尖创新人才仍然匮乏，鼓励创新、宽容失败的创新文化氛围尚不浓厚，科技创新支撑高质量发展的有效供给仍显不足。

近年来，中国科学院深入实施“率先行动”计划，不断加强创新文化建设，在科研管理中坚持“规划森林，让树木自由生长”，着力为人才成长发展提供“肥沃的土壤”和“充足的阳光”。创新体制机制更加完善，创新队伍结构不断优化，创新人才活力不断迸发，重大创新成果不断涌现，初步形成了充满活力、包容兼蓄、和谐有序、开放互动的创新生态系统。

2012 年，国家纳米科学中心与中国科学技术大学的研究团队联合开展了国家创新生态系统研究，于 2015 年出版了《国家创新生态系统研究报告》。在此基础上，中国科学技术大学又组织编写了《中国国家创新生态系统研究》丛书，建立了一套创新生态系统理论框架、指标体系。丛书共分 5 册，分别从不同维度刻画了创新生态系统的领域演化与实践路径，归纳了不同国家和地区创新生态实践的多元模型，特别是当代中国创新路径选择的价值与内涵。

希望本丛书的出版，能引发社会各界对我国科技创新事业改革发展的深入思考和研究，推动我国构建适应创新型国家建设和实现科技强国目标需要的创新生态系统。

前　言

FOREWORD

创新生态系统理论是21世纪初，随着移动网络技术的兴起和创新要素大范围的自由流动，在技术突破、知识创新与社会形态跃迁三大要素深度融合的情境下诞生的范式。从方法论的源头端考察，创新生态系统借鉴了自然生态学的观察与表达方式，以动态系统多要素复合演化的认识论立场，研究生态系统内部的多主体关联、多要素流动、多系统共生演化和活态环境养成情况。相比此前已有的多代创新范式理论，创新生态系统理论更加注重自身的可持续性演化，以及所有创新主体对系统环境共同营造的价值观，将创新评价从单一追求科技-经济价值的目标域转向科技、社会、经济、生态、文化多维度价值融合刻画的目标域。

考察创新生态系统理论的发端历史。大约在20世纪90年代初，美国经济学家穆尔在《哈佛商业评论》中首次提出商业生态系统概念，并将其应用于商业管理和产业研究领域。研究该领域的学者们通过对企业所处的价值区间和伙伴关系的刻画，提出了共生竞合、价值置换、平台战略、自组织能力等创新生态的基本概念，从基础内涵方面说，理论要义在一个先行的细分领域已初现端倪(Moore，1993)。

2000年以后，来自商业与产业的实践成果启迪了国家和区域范畴的创新研究转型，美国等国家的科技决策部门希望依靠生态化方法论的切换，重新凝聚国家创新的核心驱动力，以此提升其国际地位和外部竞争力，提出了一系列支撑系统发展的举措。2012年1月，美国商务部发布《美国竞争力与创新能力》报告，其战略举措的第一大条即建立创新能力与竞争力的生态系统。2014年5月，著名智库美国布鲁金斯学会发布《创新城区的崛起：美国创新地理的新趋势》(The Rise of Innovation Districts：A New Geography of Innovation in America)，提出了基于创新生态原理的"创新城区"(Innovation Districts)的概念。总体而言，面向未来的创新生态系统研究正在成为21世纪国家创新战略思考的新路径，并快速受到各国决策机构和研究者的重视。

在中国，进入"十二五"规划阶段(2011～2015)，整体的社会发展以很陡的坡度进入"新常态"的重要转型，面对来自环境、健康、就业、价值观等方面的一系列挑战与压力，决策层快速推出了创新驱动发展新国策，以及全面支持"大众创新、万众创业"的政策举措，希望以此为转型期抓手激发社会创新活力，发挥保持经济增速、充分就业、生态安全的多引擎作用。2017年10月，中国共产党第十九次全国代表大会的主报告明确提出：我国社会的主要矛盾已从"人民日益增长的物质文化需要同落后的社会生产之间的矛盾"，转化为"人民日益增长的美好生活需要和不平衡不充分的发展之间的矛盾"。这一时代背景正与进一步发展多元主体、完善共生环境建设的创新内在诉求相一致，更为寻找贴合当下的国家创新思维范式、科学评价已有资源和要素条件奠定了基础。本书的研究旨在对国家创新生态系统进行内涵分析和机理阐释，并尝试以中国的现实发展需求和政治-文化传统为依据，通过国际代表性创新型国家的比较框架，建构一个评价创新发展的方法体系。我们认为，如果结合上述的转型背景，本书研究的现实必要性是充分的。

在本书的研究中，我们以国家创新生态系统理论阐释为基础，以评价体系的设计和测度示范为核心，以中国转型期的发展策略探讨为落脚点，尝试诠释和刻画“什么是国家创新生态系统”“怎样理解国家创新生态系统”“如何评价国家创新生态系统”以及“中国应发展什么样的创新生态系统”等目前尚存在较大认知分歧的重要议题。

研究的简明逻辑路线为：

第一步，将创新生态作为方法论意义的研究范式引入国家创新的思考框架中，从“宏观-微观-宏观-微观”多向跨界视角解析系统内涵，通过提出创新生态服务的概念，分析整体系统的运行机理，按照研究组的立场解答“什么是国家创新生态系统”和“怎样理解国家创新生态系统”的问题。

第二步，以“系统成熟度”评价方法作为创新生态系统评价的切入点，设置评价目的和思路，对评价模型进行组合和确定。通过建构指标体系、分层赋权、数据采集和综合评价测算，对中、美、德三国在2012年数据时段的创新生态成熟度进行全方位评价，得出包括中国在内的国际最经典创新国家的国别横向比较结果，对“如何评价国家创新生态系统”给出示范实测路径及工具包。

第三步，从主体视角对中国现阶段的创新生态发展趋势做出判断，依托上述理论与方法论框架提出系列政策思考和建设建议，并选择在世界范围具有较强示范意义的苏州纳米产业与社会融合治理实例，作为中国特色语境下国家创新生态建构的一个微观样本进行刻画，旨在体现实践层面颇为宝贵的先行者价值，同时也尝试回答具体的“创新生态系统如何建设与发育”的实践议题。

我们认为,将国家创新驱动发展事业视作一个持续演化运行的创新生态系统加以研究与实践,是在中国进入重大社会转型宏观情境下顺应创新内涵发育要求的适宜选择。一国要认清自身的创新基础设施和要素条件,不照搬他国模式,因时因地施策培育创新生态的形成。评价模型的准则层(创新环境、创新机构、创新资源、创新人才和创新市场)结果体现了国家在细分维度上的优势和不足,是政策制定的重要依据。具体到执行层面,从政府、科研机构、高校到包括大型企业、中小创业者、创新服务机构在内的诸多创新主体都需要以开放的姿态全向连通,实现要素高效交流和价值深度分享。创新的所有主体共同培育的以整体利益为基石的共生环境,最终将成为国家创新生态系统不断向更高成熟度的层级演化发育的中心。

目　录

CONTENTS

第 5 章 创新生态发展成熟度评价指标体系的构建

第1章
国家创新生态研究的时代内涵

1.1 时代背景与转型动因

1.1.1 创新范式与创新环境的新一轮演化

21世纪初以来，知识经济与全球化要素的快速发育推动着发达国家从工业社会向知识社会转型。约从2010年开始，移动互联网以令人几乎目不暇接的发展速度催生出日新月异的创新业态、经济业态和社会生活，使不同国家在技术变革、经济发展、生活方式、价值观念等领域的交流、碰撞、冲突与融合持续深入。知识被更为平等、顺畅地创造与大规模分享，科技创新与社会发展的嵌入式关联更为紧密，创新及其社会价值的彰显正成为发展的最大驱动力。

随着创新要素全球流动和一体化创新环境逐渐形成，创新活动的复杂性也显著增加。这种新呈现的复杂性引发了理论模型与实践范式本体的创新演化，在此前提炼的五代创新理论的基础上，创新范式在不断演化的过程中迎来了新一轮的升级，在创新能力、创新系统之后，创新生态系统（Innovation

Ecosystem,IES)的研究应运而生。创新生态系统的研究借鉴了自然生态学的观察与解析视角,以生态子系统同构关联的思维揭示各类创新主体及其内部构成要素之间、创新子系统与外部资源之间的协同互动。在同构观察的视域下,不同的创新主体改变了原本孤立呈现的运作形态,在共生演化的基础上实现了共同增值或减值,构成了具有自组织特征的多元共生系统,创新理论研究顺应现实发展的重要转向再一次出现。

在实践层面,世界各主要创新型国家均认识到新一代创新形态对于既有的国家创新范式和发展模式的挑战已经来临,并迅速做出反应,经典的表现有:欧盟推出《以知识为基础的经济创新政策》,美国竞争力委员会发布《创新美国》系列报告,中国颁布《加快实施创新驱动发展战略的若干意见》,他们都旨在寻求通过创新升级保持国家竞争力的新途径。在多元创新要素融合发展的背景下,如何推动传统创新模式转型,对国家创新现状进行生态化范式的评估;如何培育国家范围内创新生态系统的形成和良性运转,已成为创新型国家建设的关键着力方向。

1.1.2 从单维度评价到多维度融合考量——创新评价理念的转变

当前,国际社会正处在发展方式转型的重大变化期。以单纯经济评价为中心的发展模式已同面向未来的可持续发展目标产生了结构性冲突。在“经济-人口-生态-文化”多维并重的前提下,追求基于知识与创新为动力的经济增长,强调社会各阶层平等、公平地分享文明成果,探索人与自然和谐相处的“可持续、包容性、智慧型增长”,已成为世界各国前瞻发展的优选路径。

可持续发展意味着建立一个人与自然友好相处、共同成长,资源高效可持续利用和具有竞争力的经济发展模式与社会利用模式,在这一过程中逐步处理好发展带来的生态问题，防止环境恶化、生物多样性损失和资源浪费。智慧型增长的核心是注重知识和创新，即充分利用既有和前瞻性的技术，通过补齐各级教育和科学研究中的短板，促进信息和知识的快速有效传播，并持续有效地转化为新的产品和服务，提升全社会的学习能力和创新创业激情。包容性增长意味着从人类文明发展和人口普惠价值观的高度，更多地强调以人作为发展的目的属性，倡导社会利益分配的公平性，最大限度地让普通民众享受发展成果。

出于对发展方式转变的理论需求和现实回应，对国家创新活动及其影响的评价也改变了过去单一注重经济产出的传统方法，转而追求社会、经济、生态、文化多维度的综合评价。创新生态系统正是国家创新理论在社会、经济、生态、文化多维发展观视野下的拓展与深入。作为更高效率的创新形态，创新生态系统的构建不仅有利于实现更好的经济增长、更优质的市场开拓、更充分的就业和平衡的财富创造与使用，还能贡献更多的智力资本，为社会成员提供更和谐公平的生活。

1.1.3 创新生态系统新理念下的创新评价——我国社会转型引发的新挑战

从 2006 年全国科技大会上提出“到 2020 年将我国建设成为创新型国家”这一战略目标以来，我国在创新型国家建设方面取得了一系列的重要进展。目前，基本形成了政府、企业、科研院所及高校、技术创新支撑服务体系四角相倚的国家创新体系。

2012 年以来，创新型国家建设再度提速。2015 年 3 月，中共中央、中华人民共和国国务院发布了《关于深化体制机制改革加快实施创新驱动发展战略的若干意见》，明确了实施创新驱动发展的“四个坚持”（坚持需求导向、坚持人才为先、坚持遵循规律、坚持全面创新）和一个目标，提出到2020年，要基本形成适应创新驱动发展要求的制度环境和政策法律体系，为建设创新型国家提供有力保障。李克强总理在2015年政府工作报告中提出“大众创业、万众创新”的“双创”动议和“互联网＋”的国家行动计划。这表明，中国的创新进入了推动全民参与的新阶段，也揭示出创新对当下中国转型发展的重要意义。

当前，中国在国家创新建设中面临的主要问题有：

（1）就创新的要素条件而言，创新体系内部的要素整合度还不高，创新主体间的开放合作网络尚未形成，整体创新合作效率较低；

（2）就创新的人才条件而言，创新个体的积极性还没有被充分调动起来，人才自由流动和激励引进机制有待完善；

（3）就创新的政策条件而言，政府对创新活动的管控太多太细，创新者的自主空间不足，缺乏良好的制度设计；

（4）通过以经济效益评价为导向的“投入-产出”指标体系对国家创新能力建设进行评价，往往会诱导决策者政绩考核的短期行为，而忽视国家全面可持续创新生态的培养。

进入创新新阶段的中国需要思考和行动的是：如何能够通过放权让利为市场主体“留出空间”，使企业成为名副其实的创新主体，竞相释放创新活力；如何通过制度设计，使人才的价值实现最大化；如何依托“互联网＋”发展新模式，促进传统产业和新兴业态共同演进，这是创新型国家成功的关键。将国家创新的相关评价融入对保证其持续发展的创新生态环境的综合考量中，构建符合“可持续、包容性、智慧型增长”发展目标的国家创新生态系统，对转型背景下我国创新型国家建设具有重要的战略意义。

1.2 研究逻辑的设计与表达

鉴于产业和区域范畴的创新生态研究客体较多且杂、论点比较分散，我们结合国家创新的特点重新界定了创新生态系统的内涵，提出了从宏微观视角到组织机理的四项主要特征，希望按照特征架构对国家创新生态系统进行全方位的解析。在面对已有国家创新系统研究和国家创新生态系统的差异刻画时，我们选择的步骤首先是对国家创新研究的发展脉络进行梳理，从每个演化时期的体系安排、要素构成和评价方法归纳出各自特色，希望从中能够显现出该种框架的不足，为引入、解答“创新生态系统与创新系统（Innovation System，IS）的不同使命”“创新生态系统在新时期国家创新中的优势”等核心问题打下基础。经过这种螺旋往复的理论辨析，我们才能够解答“为什么选择创新生态系统引入国家创新研究”这一前置命题。

创新生态系统起源于自然生态学领域，国家创新系统论则是工程、管理领域系统学说的现实映射，我们试图融合这两种视角来理解国家创新生态系统的运行机理。这既是理论源起的一种回溯，也便于随后对成熟度评价的结构设置。引入创新生态服务的概念是研究组的新拓展，从时间（生长、成熟到自我更新的完整生态周期）和空间（单位个体到演化整体的跨层级视角）上分别解读系统机理，据此我们第一次提出用成熟度代替能力来描述创新生态系统的发展水平。

面对国家创新生态系统的量化测度这一难题，我们采取的研究路径首先是借鉴层次分析法将这一多目标决策问题结构化，形成条理清晰的指标体系;然后是运用模糊综合评价确定数值的隶属情况,得出测算结果。评价基准值的设置应尽量贴合国家的实际发展能力,指标选择也应遵循创新生态系统创新评价的动态标准和演化特色。我们认为通过上述研究逻辑的展开,上述构想的实践能够对一国的创新生态成熟水平做出合乎逻辑、贴近真实状态的测度评价。

1.3 主要研究内容提要

1.3.1 国家创新生态系统评价与现实演化趋势

国家创新生态系统是国家创新系统理论在当今视域和发展观转变下的拓展与深入,对国家创新生态系统的理论源起、发展脉络进行归纳和梳理是整个研究的起点。在此基础上,结合各国家(或地区)的创新情境,对目前全球主要的创新生态系统理论模型及其内在机理进行考察,分析系统的内涵与结构,对其未来的发展演化趋势做出预测。这一步的工作有助于完善对我国相关评价研究现状和缺失的认识与挖掘,为探索适合中国国情的国家创新生态系统评估方法和实施方案提供理论基础。

(1) 理论源起与内涵解析。追溯创新理论发展过程中系统分析方式的兴起,梳理科学技术和社会经济的不同发展时期,创新理念从单环线性到多链系统网络、从“创新系统”到“创新生态系统”的研究范式转变和路径的延续性,对创新生态系统的内涵、典型特征、要素组成进行梳理,提出适合中国当下创新现实的创新生态系统定义，探索在复杂演化和全球融合的创新情境下国家创新生态系统的提出过程和多样性的引导方式。

（2）系统解析和机理研究。国家创新活动的规范性评价这一工作范式产生以来，已出现的创新评价理论和模型大致可以分为三类：过程评估型、系统评估型、绩效评估型。我们基于动态演化的视角，重点对具有一定影响力的创新生态系统理论模型进行分类比较，关注其后续的实践方案和可能的影响，考察不同条件下国家创新生态系统的内涵特征的功能性差异，剖析国家创新生态系统的关键要素与运行机理。

（3）发展趋势和对我国创新生态系统评价工作的认识。综合上述对创新生态系统及其创新评价机制的研究成果，分析创新生态系统在主要创新型国家中的发展态势和未来趋势，对比我国的创新现状，就存在的不足形成较完整的认识，为针对中国的创新生态指标描述和契合性分析做好基础和铺垫。

1.3.2 创新生态系统综合评价模型设计与实证研究

（1）创新生态系统评价指标体系研究。本书的指标体系构建目标是基于面向“可持续发展、智慧型、包容性增长”的创新系统理念。作为本书的重点之一，指标体系的设计将运用标杆借鉴、逻辑分析和专家访谈等方法，力求突破传统的创新经济效果评价范畴，在考虑指标体系设计通用原则的基础上，确立创新生态系统指标体系设计的系列特殊原则。

我们将从中国创新生态系统的现实条件基础、创新主体、创新要素、内在驱动力、动力和保障机制，以及外部协同圈层环境等视角出发，将指标体系概括提炼为创新环境、创新机构、创新资源、创新人才和创新市场五个维度。

创新环境维度，是创新活动所处的社会、文化和自然环境等宏观意义上的外部环境。创新生态体系强调不仅要关注创新产生的经济效益，同时也要加强创新对社会、生态和文化等多维度要素的互动评价。

创新机构维度，是实践创新活动的各机构主体及其相互作用的有机整体。该维度刻画力求全面包含创新生态中的融合性活动主体及主体之间的协同合作状况。

创新资源维度，为创新提供经济、信息支持和基础设施平台，是创新生态环境中的现实要素基础，是支撑创新主体创造性思维和工作、满足快速学习和培养创新开发能力的必要条件，也是创新成长的基本前提。本研究将探索支撑创新的有效的资源协同新模式。

创新人才维度，是最重要的创新驱动力所在。按照创新规律优化人才建设，需要考量创新型人才培养和人才的合理流动、优化配置，需要包容失败、勇于探索的社会文化氛围，也需要建立起更具吸引力的人才引入和强化激励制度。这些都将为“大众创业、万众创新”的实现提供社会意识、文化传统基础和智力支持。

创新市场维度，主要指为创新活动的整体过程提供市场环境支持和保障的部分。创新需求鼓励创新活动的发生和发展，创新绩效表现出市场的良性竞争和健康发展程度，市场机制通过评价和监督机制促进创新的优胜劣汰，为其提供制度服务和法律保障。

在此五维度描述基础上，对各维度进行分解，确立合适的体系层次和指标数量；在保证指标之间内在逻辑性的同时，对各指标的定义进行精确、严谨的描述，构建有机统一的指标体系。

(2) 基于层次分析法(Analytic Hierarchy Process，AHP)的创新生态系统评价指标权重设定。运用层次分析法对创新生态系统的各级指标进行比较判断并确定指标的权重，设计合适的指标计算方法，多方论证，确保指数计算方法的科学性和合理性。

（3）评价模型设计与实证测度研究。创新生态系统综合评价的一大特点是对国家范围内创新趋势和整体创新氛围的真实反映，相比于创新能力评估和要素相关性研究，创新生态系统的评价无法完全以客观的定量评价涵盖，若干指标也难以划定清晰的研究界域。因此，本研究选择模糊评价理论作为创新生态系统评价的基础模型，并以此设计评价流程。

在实证分析阶段，本研究将选取在国家创新领域具有代表性的中国、美国、德国、日本四国作为样本，测度某个具体年份的国家创新相关数据，检验设计出模型的应用效果，并借助实测进一步完善模型。对本指标体系的提取和数据的获得将采取统计指标和调查指标相结合的方式，以最大限度地反映各指标的现实状况。

1.3.3　中国创新生态系统的发展启示和策略探讨

（1）一方面，探讨从现有的创新形态向创新生态系统演进的过程中，如何识别和分析创新生态系统中的要素动态优势，这是发展策略探讨的基础工作；从指标体系中选择最能展现其演化状态的五项指标，结合中国与美国、德国同期和自身纵向比较结果，对中国创新生态中的各类主体提出策略性建议。

另一方面，结合中国创新生态发展的具体案例，阐释在国家实施创新驱动战略，着力培育“大众创业、万众创新”的新背景下，关键创新要素的动态演化情况，尤其需要关注的是新一代信息技术与现代制造业、生产性服务业等的融合创新情况，探索新兴要素对接传统业态的动态演化路径。

（2）以苏州工业园区的纳米产业创新发育生态系统为例，综合理论模型分析、指标设计与实证研究的具体成果，结合对全球主要创新体表现的横向比较，从政府、科研机构、高校、大型企业、中小型创业者和科技服务机构等创新主体的策略出发，探讨中国创新生态系统未来可能的发展趋向，为相关促进政策的制定提供参考。

1.4 值得注意的重点与难点描述

从创新生态系统理论本身来看，本研究的主要任务可以概括为：① 将创新生态系统理论引入国家创新研究领域，并用它来解释目前国家创新发展的现状、动态和趋向；② 以对国家创新生态系统的内涵和运行机理解析为基础，设计出评价一国创新生态系统发展成熟情况的方法，并进行典型国家的实证测度。

对于第一个任务而言，创新生态系统的理论概念与国家创新的结合尚属于一个新兴的研究领域。一方面，创新生态理论目前已较为成熟地运用在产业和区域创新范畴，若将其移植到国家创新领域，分析国家创新发展的未来趋向，则需要对这一理论做出新的诠释；另一方面，以往的国家创新系统理论仍占据着国家创新研究的主流，创新生态系统研究与其相比有何不同，先进性与合理性体现在哪里，如何能够指导新发展语境下国家创新事业顺势而为、健康发展，这些都需要结合理论的比较和具体创新情境，进一步做出合理的解释。

对于第二个任务而言，评价一国在某个时期的创新生态系统发展现状和未来趋势，首先要明确测度要点和方向，设置评价标杆，然后才能设计具体的评价方法，最后进行体系建立、赋权、数据查找和测度。由于创新生态系统议题的新颖性，此前涉及国家行动的研究大多只是框架性的动议、计划、纲要等，从头开始建立一个完整的国家层面的评价体系尚未见先例。此外，在建构指标体系、选择具体指标、保障数据完整性等方面，本研究从之前的创新生态系统文献中也几乎难以获得可以借鉴的经验，这些都需要我们自己在研究路径与方法的摸索中寻找突破口。

第2章
国家创新生态研究与实践的历史回顾

从20世纪开始,越来越多的人关注创新给企业、区域、国家等不同层面发展带来的活力。在新的技术、经济、社会背景下,创新范式也在向复杂的系统网络模型演进,经济学家罗斯韦尔(Rothwell)提出了以产业发展演化为研究视域的创新从“线性范式”到“系统网络范式”的五代转变:人类对创新活动的认识已经从第一代的技术推动模型(20世纪50年代至20世纪60年代中期)、第二代的市场需求推动模型(20世纪60年代后期至20世纪70年代早期)、第三代的联结模型——关注市场和研发联系的技术推动与需求推动融合模式(20世纪70年代中期至20世纪80年代早期)、第四代的综合模型——关注与相关企业、上游的供应商、下游的顾客之间联系的线状平行模型(20世纪80年代中期至20世纪90年代),演化到第五代的系统一体化与扩张的系统网络模型(Rothwell, 1992)。

2.1 作为国家创新理论基础的五代创新模型

2.1.1 第一代:技术推动(Technology Push)的创新模型

作为以科学技术革新和突破为动力的第一代创新模型,其主要特征可概括如下：

(1) 科学活动独立于企业组织之外，科学知识是作为创新组织的外部资源被引入组织内部的。这样就可以把科学发现、技术发明作为创新的源头进行处理，企业的任务是把来自科技共同体上游的知识变成产业下游的产品。

(2) 因为这一阶段的组织管理形态几乎均为金字塔结构的科层制，因此创新组织多是直线形等级制，创新信息与知识通常会集中在个别的主管人员手中，决策层与执行层界限明晰，创新更多地成为一种管理决策活动，而组织内部基层成员知识创造的“涌现”受到系统性抑制，贡献往往会被忽略不计。

(3) 不确定性因素经常也会存在，但达到信息时代高速反馈、网络互动、活动虚拟程度的会非常少，相对单纯、简明的过程支持把创新当作线形模式认识与处理的认知与操作范式，线形模式具有较好的解释力。技术推动的线形模式在从事与表现简单的创新活动方面有效性强，这符合源自文化与哲学传统的人类因果思维习惯：按照时间与逻辑顺序，给出一条因果链，把空间上的事件因果与时间上的延续先后对应起来，这是一种简化了的发展时空模式。

从今天的认知来评价，这种线形模式(The Linear Model)的实践与理论都存在着缺陷。克兰(Kline)和罗森堡(Rosenberg)评论道：线形模式被隐含地设想为像流水一样平稳地流向一条单行路，它在几个方面扭曲了创新的真实面目。

第一，在线形模式中，发展过程的连续活动缺乏反馈渠道，也缺乏来自销售数据或个人用户的反馈。今天我们认为，这些反馈形式对于评价绩效、引导后续步骤、预估竞争态势都是至关重要的，多重反馈本应是创新过程的固有内容。在无所不知的技术人员的理想“旧版”世界中，人们一次性地就可以得到可行的、最佳的创新设计；在充满着不完全信息、高度不确定性的“新版”世界中，缺陷与失败是产生各种创新的学习过程几乎必备的要素。有效的创新要求迅速、准确地反馈以及与之一致的、随之而来的行动。

第二，创新的核心环节更多是设计而不是科技内容本身，某种形式的创新设计是着手技术创新的根本，反复设计并持续根据反馈调整设计是最后成功的关键。创新需要多种形式的反馈供给，而创新的需要是推动科学创造的内生力量。

第三，即使在科学知识体系不完备，甚至完全缺乏的情况下，仍然可以经常产生重要的创新，以及无数更小的，但累计起来是重要的进化式的改进。例如，一个世纪之前，理论的缺乏并没有阻碍自行车被发明出来。

第四，线形模式掩盖了创新过程中整个创新群体与关联者人群持续学习的重要意义，学习在持续的生产过程中扮演着重要的角色，无数来自产业的实证显示了通过累积的经验学习促进创新的必要性。

2.1.2 第二代：需求拉动（Need Pull）的创新模型

需求拉动通常也被称作市场拉动(Market Pull)，在20世纪60年代后期，这种模式将以实际创新活动研究为基础的若干新经验公之于众。实证研究表明，用于研究与开发(R&D)的资源投入增加时，创新成果产出并不一定会相应增加。在市场拉动的模式中，创新被认为是由于某种觉察到的，有时是明确表达出来的消费者需要而引起的，于是导致了紧密聚焦于这种需要的R&D活动，随之而来的是满足市场需求的新产品的生产过程。R&D在创新过程中仅仅起着被拉动而激发聚焦的作用。需求拉动也属于线形模式，只不过是来自市场实际的需求而不是科学技术成为创新源头的主要动力。

需求拉动模式的主要观点如下：① 强调创新的经济导向。创新不是一种纯科学或纯艺术的活动，而是企业通过满足市场新的需求而扩大销售、增加利润的活动,它有着强烈的功利性。② 强调创新的问题导向。创新需要表现为问题的形式,表现为应该解决却又没有解决、难以解决的问题。围绕解决问题的目标调动创新资源,问题的解决过程就是创新的过程,创新有着强烈的目的性。③ 强调创新的发现能力。需求永远是客观存在的,但有相当多数量的需求人们往往会熟视无睹,习以为常,只有善于发现,才能抓住创新点。有些需求属于潜在需求,还没有发展为现象,只有具有洞察力,才能通过创新开发出这种潜在需求;有些需求属于未来需求,创新的周期要求做出需求预测,进行前瞻性开发。需求拉动模式突出了需求作为创新动力的作用,但需求导致的创新多是渐进性的、短程性的,如不和前端的科技进步结合起来,出现根本性的重大创新也相当不易。德鲁克因此提出:以知识为基础的创新才是企业创新的"超级明星",它基础扎实、引人注目而又能得到利润回报。单纯依赖市场需求的测度实际上是有很大难度的,因为需求受多种因素制约,千千万万的消费者有很多种异质化需求,在某种需求中又有多种可能的替代选择,对某一种消费又有多个企业、多种品牌的竞争。只凭创新者的主观判断,往往会事与愿违。从确定某一市场需求到把满足这一市场需求的产品与服务推向市场有一个时间差,其间会出现未曾预料到的扰动因素影响需求变化,时间越长不可测的扰动因素就越多,就会出现生产滞后、创新失败的情况,因此在创新过程中需要有随时反馈的环节。

2.1.3 第三代:相互作用模式(Interactive Model)的创新模型

到了 20 世纪 70 年代,创新技术推动和需求拉动的线形模式,越来越多地被认为是过分简化、趋于极端的。人们开始同时强调市场与技术二者对创新成功的重要性,承认在产业周期阶段,技术推动与需求拉动的相对重要性会发生变化。因此,出现了把技术推动与需求拉动结合起来的相互作用模式。这一模式给出一个逻辑上连续的,但不一定是顺序的过程,这个过程可以分为一系列不同功能、相互独立又相互作用的阶段。创新过程可以看作一个复杂的通信渠道的网络,既有组织内的联系又有组织外的联系,既把各种企业内部功能连接在一起,又把企业与外部科技组织、市场连接在一起。也就是说,创新过程表现出技术能力与市场需求在创新企业内部结构的汇合。相互作用模式表明,无论是来自市场的新产品开发还是来自R&D的动力,都没有这样一个事实重要:技术、市场与生产都取决于一开始项目评估与界定的精准性。

克兰(Kline)与罗斯韦尔(Rothwell)提出了"链环模式"(The Chain-Linked Model),作为对线形模式的一种替代,链环模式也可以大致上被看作相互作用模式。在这一创新模式中,不是只有一条主要的活动路径,而是有五条。

第一条路径是创新的中心链,也就是传统的线形链,它始于设计,通过继续开发和生产,终于市场。

第二条路径是系列反馈连接,这些反馈路径在每两个环节之间反复出现,而且是从已察觉的市场需求到向消费者直接反馈,再到下一轮设计、改进产品和服务。从这种意义上讲,反馈是产品专门化、产品开发、生产过程、市场与生产过程相配合的一部分。

第三条路径是在科学研究与发明设计之间通过知识形成链环回路,也就是发明设计中的问题首先看现有知识能否解决,如不能解决就进入科研,再返回设计。因为当代意义上的创新没有科学知识的积累通常是很难完成的,明确的开发工作通常突出研究,也就是新的科学的需要。从科学到创新的连接绝不是只发生在或主要发生在创新的开端,而是延伸至全部过程中,科技贯穿于整个开发阶段。

第四条路径是科学研究与发明设计的直接连接、相互作用。新的科学发现往往使根本性创新成为可能，根本性创新发生的概率是很小的，但通常都标志着开创整个新产业的重大转折，例如半导体、激光、基因工程、互联网等。

第五条路径是来自创新的反馈路径，或更准确地说是从创新成果到科学的反馈，这条路径过去非常重要，现在更加重要。如量子信息领域近 20 年的一系列探索突破，不但激活了 20 世纪的量子物理理论体系，而且开启了物理科学与信息科学激动人心的未来。

总而言之，把创新设想为只有一条中心路径，或科学起着核心的、初始的作用的观点都过于简单，会限制和扭曲关于创新过程本质的真实逻辑。回过头来再看技术推动与市场拉动模式，实际上，某种察觉到的市场需求只有在技术问题能够得到解决时才能满足，而已发明的技术成果只有存在着现实可能的市场需要时才能投入使用；每种市场需求进入创新过程都会及时引导新的设计，每种成功的新设计又会及时引导新的市场变化。从这个意义上讲，技术推动与市场拉动构成的创新过程是人通过设计需求引导制造的演化。

创新的链环模式比起线形模式更为复杂，但也更真实地反映了实际的创新活动。它把技术和市场的对立模式变成了二者的统一模式，如同经济合作与发展组织（OECD）所指出的：现在认为，创新的思维有多种来源，包括新的制造能力和对市场需求的认识。创新能以多种形态出现，包括：已有产品的增值改进；技术应用于新的市场；利用新技术服务于一个已存在的市场，并且其过程并不完全是线形的。创新的需要使不同行为者（包括企业、实验室、科学机构与消费者）之间进行交流，并且在科学研究、工程实施、产品开发、生产制造和市场销售之间进行反馈。但相互作用模式与链环模式就其展开顺序而言还是附加了反馈环的线形过程，就其参与要素而言对各要素的自身性质还缺乏考察，基本上还是机械的反应与反馈模式，特别是缺乏对创新最重要的要素——创新主体的考察。

2.1.4 第四代：整合模式（Integrated Model）的创新模型

第四代的整合模式标志着占主导地位的创新过程模式按顺序发展的一个转折，即把创新作为与R&D、设计开发、生产等要素同时展开的平行过程。20世纪80年代后期，越来越多的人将研究重点放在R&D与市场相交界面的整合、R&D与生产界面的整合、供应商与率先消费者的更密切的协调上。同期，联合企业、战略联盟等横向联合急剧增长，在产业整合过程中开拓了新的维度，增加了创新管理的难度。第四代模型对于当前国际的产业创新实践是最为贴近的一种表述。

前三代创新过程模式均是以机器工业时代流水线的生产方式为基础提炼的，体现了过程序列的递进。上游制约着下游，下游给上游提供反馈信息。整合模式则代表着创新范式基本立场的转变，不同职能部门在创新活动中从各自的角度同时参与知识与信息的生产，已经具有产业创新生态系统的基本精神。例如，制造部门不能在产品开发结束后才为商业化生产做准备，而应该在产品开发的很早阶段就积极地提出各种工艺概念或方案；营销部门也不能坐等完整的产品设计原型完成后才与顾客沟通，而应该把顾客的要求、看法和其他有关的信息极早地带入新产品的开发过程中。各职能部门一体化参与创新的效果及时地推进了下游部门的研发活动和对创新的参与。

线形模式是以个体活动为基础的。个体活动，无论是认识还是实践，都表现出时间方向严格的顺序性、间隔性，个体一般不能在同一时间使用同一人体工具做不同的事。创新活动在现代社会是团体的、组织的活动，它有着与个体活动不同的性质与规律，其中之一就是一体化模式表现出的同时性、同步性，即创新组织能够在同一时间通过不同个体的协作做不同的事。这种能力不同于简单协作的群体在同一时间做相同的事，这只是统一意志对个体活动的集中使用。一体化模式则表现出复杂协作的特征，组织内部的不同职能部门同时做着不同的事情，最终整合为创新成果。线形模式依据创新活动的阶段划分为不同的活动空间，每一空间都是相对独立的，空间之间的联系依靠传递、推动。一体化模式也有不同职能、环节的活动空间，但空间之间的联系更多的是依靠交流、互动。不同职能部门之间随时交流信息，在沟通中同步运转，而不是等待传递信息后再启动；不同环节之间互为反馈、互相促进，而不是等待上一环节的指令发出后再运转。整合模式反映了知识经济时代创新活动中知识与信息这类核心要素流动重要性的上升。

2.1.5 第五代：系统整合与网络模式（the Systems Integration and Networking Model）的创新模型

20 世纪 90 年代初互联网技术与商业应用的发展，以及随后成为热点的人工智能技术的流行，预示着创新过程进入“系统整合与网络”的可能性具备了平台条件。第五代模式在某种程度上代表着整合模式更理想化的发育，它更接近于合作企业之间的战略整合。也许系统整合与网络模式最有意义的特色是，增加了作为开发工具的专家系统的使用，特别是模拟模型替代了物理原型，将供应方和用户连接的系统作为新产品联合开发过程中的一部分。系统整合与网络模式把创新不仅作为一个职能交叉的过程，而且作为一个多重机构的网络过程。整合模式代表着构想与实践的汇合，系统整合与网络模式则代表着未来的模式——构想引领实践。当许多企业在努力掌握第四代模式时，领先的创新者已经引进第五代模式的要素用于他们的创新实践，即把人工智能用于设计产品、控制质量和提高生产力。

第五代模式的重要特征包括：① 与开发过程平行的全面整合；② 专家系统和模拟模型在R&D中的使用；③ 与领先消费者的紧密联系（“聚焦消费者”的前沿战略）；④ 与包括新产品合作开发在内的主要供应方的战略一体化；⑤ 联合企业、合作研究团体、市场协调活动的横向联系；⑥ 强调合作的灵活性与开发速度（以时间为基础的战略）；⑦ 日益注重质量与非价格因素。

虽然第五代模式不是创新的最终或最佳模式，但它反映了创新实践在现代的迅速演变。正如罗斯韦尔所指出的：不仅技术本身在迅速地变更，而且当前的种种迹象表明创新过程也在变化。创新过程变得更有效率、更为迅速、更具有灵活性，而且正在不断使用新的电子手段。与此同时，随着更多的因素被更深地涉及，创新的复杂性也在增加。这表明创新管理成为富有挑战性的任务，它要求具有高质量与能力的、把创新引向成功的管理者。系统整合与网络模式不仅要求管理的灵活性，而且要求组织的灵活性。企业如果要成功地实现向第五代创新模式的转变，就需要设计出有适应性的、有利于创新的组织结构。

第五代模式作为创新活动的一种最新样式，表现出创新认识与实践的进一步深化与复杂化，集中表现在创新的系统性上。创新不仅体现在不同要素的整合上，而且体现在不同系统的整合上。创新是在更为宏观的层面上的活动，它已超越了单个企业的原子式的活动，而成为一种战略性的活动，需要不同企业组织的联合、协作才能实现。创新的系统关系已经不是用几条路径就能够包容的，而是发展为网络关系，由不同层级的节点汇集而成。创新活动越是大型化，涉及的要素也就越多，形成的网络关系就愈复杂。社会的信息化与智能化是系统整合与网络模式的工作平台。大规模创新的构思模拟、虚拟都不是仅仅通过人脑就能在短时间内完成的，需要借助于计算机技术和通信技术以及人工智能技术的规模化应用，这样才能把这种复杂化的创新活动转化为真正的系统工程。第五代模式的诞生标志着创新认识与实践在新型技术社会形态下的一个新飞跃。

随着创新理念不断往复杂的系统网络生态的转变，研究者和决策者均较为明确地意识到创新行为不是孤立的，在创新进程中，各类创新主体内部构成要素之间、创新主体之间、创新子系统与外部环境之间发生着连续、多重的互动，构成具有自组织特征的复杂适应系统。“系统的视角”是分析和了解创新的重要方式，而这种复杂系统网络生态的创新系统理论正是创新生态系统的重要理论基础。

五代创新模式的演进既反映了不同环境下产业-企业创新活动复杂性的增加，也表明了人们在动态发展的过程中对创新的认识不断超越并不断接近其理想发育的要义。

2.2 国家创新体系及其评价研究的回溯

自从人类经历工业革命并步入近代社会以来，科学知识的增长、技术方法的革新呈现出前所未有的快速发展的景象，基础研究与实际应用之间的鸿沟不断缩小，科学技术的产业化之路被开拓出来并持续得到完善。除了促进生产力发展和社会财富迅速积累这一显性成果外，持续不断进入高潮的科技创新更为世界格局和社会面貌带来了重大的改变。

一方面，在人类生存品质提升诉求与自然资源迅速消耗且难以持续的矛盾日益加剧的现实下，创新被赋予了更重要的价值，似乎已成为人类期待解决自身矛盾、寻求良性发展道路的最优选择；另一方面，创新在市场实现的过程中给企业、区域、国家和其他社会组织形态带来了巨大的机遇和活力，创新发展优势的综合凸显使得以上各主体内生出更大的创新需求，尤其是在全球和区域事务中最具话语权的行为主体——国家。创新驱动成为各国内部产业变革和社会进步的不竭动力，也成为国家提升外部竞争力、赢得国际发展空间的坚实基础。随着创新实践的发展，关于国家创新的理论研究也在不同的历史条件和社会背景下展开并演进，在整体上呈现出精细化、阶段化、系统化的发展趋势。

2.2.1 国家创新体系的研究脉络

创新(Innovation)一词源于拉丁语，原词有三层含义：更新、创造新的东西、改变。美籍经济学家熊彼特在1912年出版的《经济发展概论》一书中第一次使用了“创新”的提法，并将其解释为“关于生产要素和生产条件的‘新组合’的发展”。随后，创新问题的外延从技术领域扩展到经济、社会、商业、科技、哲学等不同领域，其概念内涵也出现了多元化的解释，如表2.1所示。

表2.1 关于创新概念内涵的不同释义

时间	研究者	提出释义	理论意义
20世纪60年代	罗斯托(Rostow)	“生产过程吸收了科学技术所蕴藏的力量……经济增长极开始向技术创新极转化”	提出“技术创新”的全新概念，首度揭示创新和知识的依存关系
	伊诺思(Enos)	“发明的选择、资本投入的保证、组织的建立、计划的制订、工人的雇用和市场的开拓等行为的综合结果”	

续表

时间	研究者	提出释义	理论意义
20世纪70年代	林恩(Lynn)	“以对技术商业潜力的认识为开端,而以其完全商业化成为产品终点的行为过程”	考察技术与商业的互动关系
	曼斯菲尔德(Mansfield)	“首次引进新品种或新过程所囊括的技术、设计、生产、财务、管理和市场等步骤”	对产品创新步骤进行分类
	(美国)国家科学基金会(National Science Foundation, NSF)	“从新思想、新概念开始……使一个有经济和社会价值的新项目达到成功应用”	将“模仿和不引入新技术的改进”纳入技术创新范畴
	弗里曼(Freeman)	“新产品、新过程、新系统和新服务首次商业性的转化”	以市场为导向,关注技术创新的有效性
20世纪80年代	马瑟(Musser)	“以构思新颖和成功实现为特征的、有意义的非连续性事件”	更注重创新的过程机制和影响因素

从表2.1中可知,研究者对创新活动的认知是不断演进的,对创新概念的理解也遵循着罗斯韦尔对创新研究范式阶段的划分:创新活动从初期依靠技术、市场需求推动发展,到更多注重创新活动与其周边环境、要素的交互作用,强调打通创新上下游过程的链状回路,最后完成系统整合和网络构建的目标(Rothwell, 1992)。

在设计创新系统化的研究上,按照地域层级划分,有亚区域、国家、泛区域和国际几种形式。国家层级由于具有的强制约束力和较高的制度效率等属性,因而成为研究创新系统较为普遍的载体。本研究以1987年弗里曼(Freeman)首次提出的“国家创新系统”(National System of Innovation)概念为标志,将迄今为止的国家创新系统化的研究分为三个阶段：

第一阶段：国家技术创新系统。20世纪70年代，主要发达国家进入经济危机和萧条期，而部分新兴经济体则利用产业转移的契机，通过技术创新实现了国家工业化的快速发展。弗里曼将这一跨越实现的政策经验归结于“公共、私有部门与机构之间的各种网络”，即“国家创新体系”。网络及其要素间的相互作用决定着新技术的发生、引进和扩散，而技术变化的路径是一个循环往复的过程，通过系统中的各种反馈实现(Freeman，1987)。这一概念此时首度被提出。伦德维尔(Lundvall)考察了用户和厂商的互动作用，指出技术创新的实质是相互学习(Lundvall，1992)；尼尔森(Nelson)将政府比作大型公司研究其创新机能，并对创新系统做了多国比较研究，认为政府的任务是确保技术多元性和制度多样性，并构建不同机构间技术和知识的共享、合作机制(Nelson，1993)；帕特尔(Patel)和帕维特(Pavitt)则强调了这一系统在技术学习和激励中的制度设计作用，梅特卡夫(Metcalfe)认为国家创新系统是以干预创新进程为目标、以政策制定执行为手段的一系列机构的组合。

严格地说，这一时期的国家“创新”仍停留于Walt的技术创新层面，典型的研究方法主要还是通过揭示以企业为主体的创新者的技术行为和创新规律，推演出国家范围内利于创新的制度设计和要素发展情况，构建出以技术经济范式呈现的创新系统，进而分析系统内作为协调机制存在的政府行为和政策创新。弗里曼和尼尔森都特别强调了机构在系统中的作用，整个系统的目标是通过这种制度、组织的结构性调整促进技术创新，提升一国企业的创新绩效。这里有两点值得关注：第一，创新系统的评价仍主要以经济实绩为主，产生、应用技术创新的业绩和效率成为主流的衡量标准，本质上是一种能力型评价；第二，系统服务主体的单一化，此时国家创新系统的服务对象还是国内的各类企业，对于国家创新的一体化思考，以多主体发展为目标导向的国家系统尚未成熟。

第二阶段:国家创新系统。到了20世纪90年代中后期,一方面,随着工业经济向知识经济转型,技术创新系统的有限性在数次经济危机中显露出来,人类和社会的发展更加倚重于知识的创造和分享;另一方面,企业不再是唯一的创新主体,社会化的创新模式呼唤良性的机制安排和要素支撑,这需要更多国家层面的引领参与。

罗默(Romer)的内生经济增长学说对知识、技术研发在经济增长上的贡献度予以了理论认定。鉴于知识经济发展对国家创新系统的重要意义,OECD首度将国家创新系统认定为知识经济社会的基础设施,指出这是一个由"创造、储存和转译知识技能、新技术产品的机构"组成的"机构网络",其目的是通过知识和技术扩散能力的提高影响国家创新业绩(OECD, 1997)。

经济全球化的背景,加速了对国家创新行为在国际竞争中作用的深刻认识,曾提出竞争力模型的波特(Porter)将产业竞争力和竞争性环境培育引入系统研究,提出政府在系统中的职责是创造适宜产业创新的环境、影响企业创新过程以提升国家整体的竞争优势,强调了各国创新系统基于历史继承和自身优势的路径依赖(Porter, 1998);萨维奥蒂(Saviotti)分析了全球创新一体化和国家创新特性的矛盾共存关系;阿尔基布吉(Archibugi)和米基(Michie)提出了一系列决定系统结构和政府行为独特性的关键因素(Archibugi, Michie, 1997)。

彼时,"创新"不再限于技术和生产流程的界域,知识的创造、传播和应用带来了巨大的社会经济价值,背后的知识和人才流动、技能学习以及创新主体关联下系统的运行机制都成为了新的研究热点,形成了知识创新和技术创新研究并重的理念。总的研究路径大致可分为两类,即外部的竞争力和内部的配置力。一国创新系统的发展程度成为衡量经济实绩和国际竞争力的重要标准,这也促使各国根据各自系统的特殊性提升知识配置力①，强化主体间的创新合作关联。

由于目标的变化，这一时期的研究不再拘于国家视野下的创新企业，而试图刻画一个网络化的国家知识创新集合体，系统第一次具有了完整的"国家"意义。出于对国家创新机制完善的需求，创新系统的评价研究衍生出战略导向和工具属性，有助于国家创新的自我定位和调适。

第三阶段：国家创新生态系统。创新实践进一步发展的现实，提出了对创新系统研究演进升级的需求。随着技术创新与社会系统互动更为密切，科技进步在引领可持续发展中的作用日渐凸显，借鉴同时期的产业和区域创新生态研究，生态系统理念的引入使之成为国家创新研究的新视角。这一时期开始仿照自然生态系统重新审视创新的发生及其影响是否具有前瞻性价值，这在世界局势复杂变化和各国创新模式深刻变革的今天尤为重要。

通过梳理创新范式研究进程中的几个重要节点，我们发现：随着创新活动界定的宽泛和影响因素的增多，创新范式整体上呈现出由单因素向多因素考量（复杂性）、由非系统化视角向系统化视角（全局性）转变的趋势（图 2.1），对要素构成的关注正在向要素-主体-环境的多维动态研究转换。在科技创新与社会发展的深度融合下，主要创新主体之间日益互补、共生的关联也使得创新实践不能再只着眼于系统自身的扩展，而必须更多地关注可持续性、包容性的创新环境和制度设计，这才是新发展阶段国家在国际竞争中领先和保有潜力的关键。

---

① 知识配置力：由 OECD 于 1995 年提出，综合归纳后可概括为一种有助于已有知识的扩散和转化，并能在这一过程中确保创新主体及时全面获取相关知识、提升创新系统运行效率的能力，显示了知识在一国内部的循环流动状况。

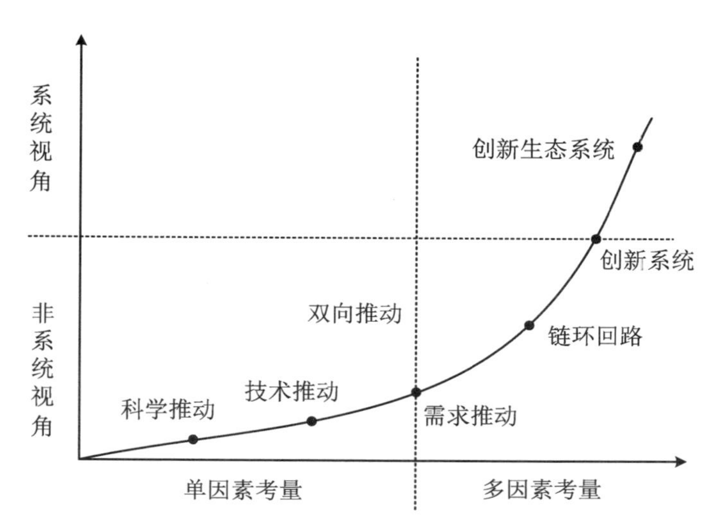

图 2.1 对创新范式研究进程的梳理

表 2.2 列出了本研究对三种发展阶段的特征性梳理。

表 2.2 国家创新系统化阶段发展的特征

发展阶段	时间段	创新定义	研究重点	服务主体	评价标准	评价类型
国家技术创新系统	20 世纪 80 年代起	新技术、新产品的引入和扩散	创新能力培育和政策设计	国内企业	经济实绩和创新效率	能力型评价
国家创新系统	20 世纪 90 年代起	知识与技能的创造、储备、应用和流动	创新系统运行机制	网络化的国家创新集合体	国家创新机制内部配置力和外部竞争力	机制型评价
国家创新生态系统	21 世纪初期	有益于经济、社会、文化、生态可持续发展的科技创新、制度创新、管理创新、商业模式创新、业态创新和文化创新等一切创新活动	创新主体、环境、要素的多重动态演化	共生演化的创新主体	创新生态系统发展成熟度	生态型评价

2.2.2 国家创新体系要素构成的研究脉络

在有关国家创新体系的要素构成和运行情况的研究中，首度提出“国家创新体系”这一概念的弗里曼认为一国的创新体系应包含政府政策、产业机构、企业研发和教育培训四个部分；伦德维尔构建了由公共部门、制度架构、创新生产者和消费者组成的系统微观基础，而处于核心位置的正是不同参与方相互学习的过程；早期的OECD研究认为创新过程中各机构互动联系的目的是改进技术绩效，并将此作为创新体系概念建立的假设。

鲁斯(Roos)等研究了芬兰和瑞典的创新要素流动情况，提出了一个基于学习、探索、研发活动，横跨经济、政治、社会等机构的国家创新框架(图2.2)。他们认为，一个成熟的国家创新系统应当包括以下特征：首先，在开放的全球视野下，国家经济要具有根据各种变化灵活适应的能力，并能履行对于改革的承诺，培育有经验的、面向国际前沿的消费者(客户)；其次，充分发挥科学和产业间的合作网络作用，在创新主体之间搭建高度发达的互动网络和健康运转的产业集群，促进基础研究中的学科交叉和多元化发展；最后，整个系统的正常运行还有赖于在金融体系支持下广泛的资金来源，这不仅表现在政府和企业对研发活动的持续资助，还要求高于国际平均水平的教育、研究和创新投资(Roos et al., 2005)。

鲁斯等人的研究认为，各类企业和区域、集群创新的表现最终影响到国家的创新全局，因此特别指出了政府行为在系统中的“识别”和“补充”作用，即先期识别各创新子系统的自身优势和互补性，通过政策手段和网络作用由国家系统对缺失和不足进行要素层面的及时补充与调节。

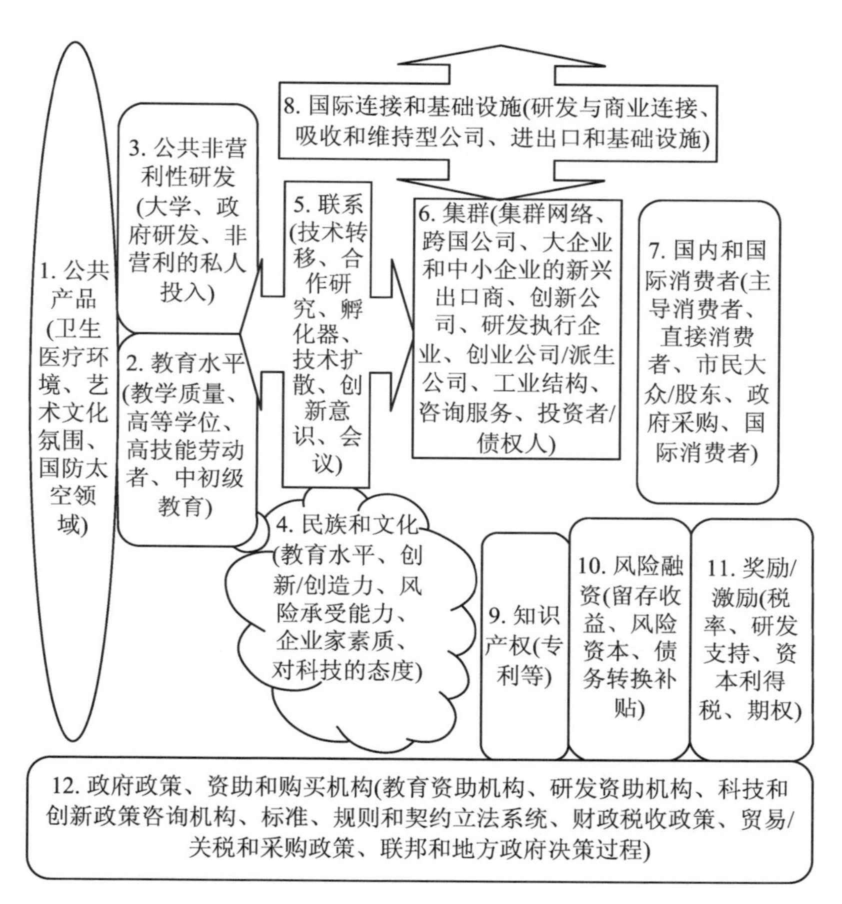

图 2.2　国家创新的要素型框架

资料来源：蒋小燕，2009. 国家创新系统的国际比较[D]. 厦门：厦门大学.

曾国屏、李正风从创新的国家行为出发，强调政府在国家创新中的主导地位和交互作用，并构建出一个由内核和制衡层共同构成的国家创新系统。

在系统中，政府和企业、科研机构、大学共同构成核心要素。处于中心位置的政府除了要确保各要素的行为与国家创新目标一致外，其下属的各职能部门还作为独立因子，介入到和其他要素的交互作用中。这种产-学-官互动的合作网络，是技术创新(主体为产业)、知识创新(主体为学界)和制度创新(主体为政府)共生并行的有机体。它的良好运行，也是市场和政府双重调控的结果。

在内核的外围，还存在着诸多影响内核运行互动的因素，如与创新有关的政策法规、当下宏观经济状况、市场运行情况、创新中介系统的活跃程度、体系内的知识技术和人才积累以及社会文化环境等，这些要素构成了国家创新系统的制衡层，如图 2.3 所示。

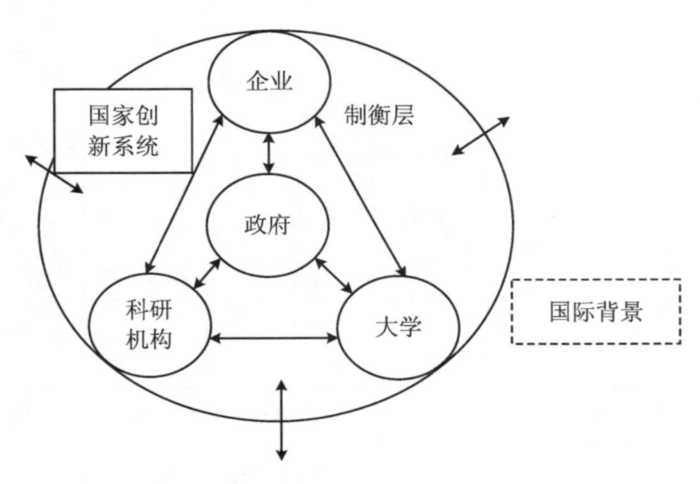

图 2.3　国家创新的内核与制衡层

资料来源：曾国屏，李正风，1998. 国家创新体系：技术创新、知识创新和制度创新的互动[J].自然辩证法研究，14(11)：18-22.

在实际条件下，制衡层决定了内核中各种要素可能的结合方式和内核的运行效率。而对内核来说，制衡层的决定力和约束也并非不可超越。以政府为主体的制度创新提供政策支持、完善调控措施；以产业为主体的技术创新提升技术原创和改造能力；以学界为主体的知识创新和传播为社会创造新思想、新观念，培养技术和管理人才。通过以上这些创新活动，创新系统不断改变着影响其创新行为的客观环境和制约条件，为系统发展壮大赢得更广阔的空间，也使系统各要素的组合和运行更具效率。

可以看出，对国家创新的体系化表述遵循着以下一些共同点：① 在创新议题中，由国家层面的各行为主体进行分工协作，在彼此相互作用中逐渐形成了国家创新体系；② 国家创新体系的要素构成说法不一，但基本可划分为两类：主体要素（或称实体要素）和非主体要素（或称环境要素、虚拟要素），前者是参与创新活动的各类机构和组织，后者是影响创新的外部因素，包括资源分配、社会环境、政策机制、国际形势等，它们促进、维系或制约了体系的发展；③ 体系内的知识流动是创新活动体系最具活力之所在，这种体系协作下知识流动和最终应用的效率也是衡量一国创新实绩的重要标准；④ 研究将国家作为分析问题的框架，把政府置于系统的核心地位，意味着创新体系将始终体现国家意志、符合国家利益，这使得创新体系的成长和一国经济的增长、国际竞争力的提升具有内在一致性。

2.2.3 国家创新评价的研究脉络

国家发展创新化和创新研究系统化的走向，使得对国家创新的认知评价在视角选取上更加多元，关联要素更加丰富，反映出的创新状况日趋真实，因而也能为政策制定、评估和调整给予更大的智力支持。我们根据切入视角的不同，将目前较有影响力的国家创新评价研究大致分为以下几类。

1. 综合能力视角的国家创新评价

1990 年，苏亚雷斯（Suarez）提出“国家创新能力”概念，并主张用一国的专利水平对其进行评价（Suarez，1990）。在创新系统化研究兴起后，能力视角评价开始从创新的要素作用和决定因素出发，通过采集各国在基础设施、投资、研发实力、政策引导、技术水平和劳动力素质等方面的经济统计数据，描述一国发展创新的基础条件和努力程度（赵中建，王志强，2010）。

波特等学者的“国家创新能力指数”（National Innovation Capacity Index，NICI）提出了国家创新的两大决定性因素：① 共享的创新基础设施，即充分利用资源支持创新的投资和政策环境，包括卓越的人才储备和基础研究、产业技术熟练程度、鼓励创新的法律制度和政策选择等；② 导向明确的产业创新集群，企业是创新的传播者和应用者，波特认为，专业化投入、鼓励投资与竞争者分析、创新需求搜索和外部动力决定了从企业集聚向创新集群的质变。以上两方面之间的关联表现为不同机构之间的合作，如科研机构与企业的联合、风投对创新项目的资助等。关联的质量，决定了国家整体的创新能力，也直接影响到国家投入创新的动机和效率。

创新联盟记分牌（Innovation Union Scoreboard，IUS）①是欧盟委员会自2001年开始发布的区域年度创新报告，通过对选定的评价指标进行测度，为欧洲各国上一年的创新表现赋值综合创新指数（Summary Innovation Index），进而寻找欧盟整体与世界其他主要创新体在创新绩效上的优势或差距。IUS以创新投入-过程-产出的经典线形模式导入评测，始终将企业的创新活动置于创新体系的核心位置。在2014年版报告中，测度以创新驱动（Enablers）、企业行为（Firm Activities）和创新输出（Outputs）三大一级指标为引领，共对人力资本、卓越的开放科研体系、资助和支持、企业投资、合作和创业、知识产权、创新企业与经济效应等8个维度的25个指标进行了采集分析（图2.4）。

---

① 2000年为试验版，截止到2015年6月，共发布13版报告。最初名称为欧洲创新记分牌（European Innovation Scoreboard，EIS），2011年改为现名。

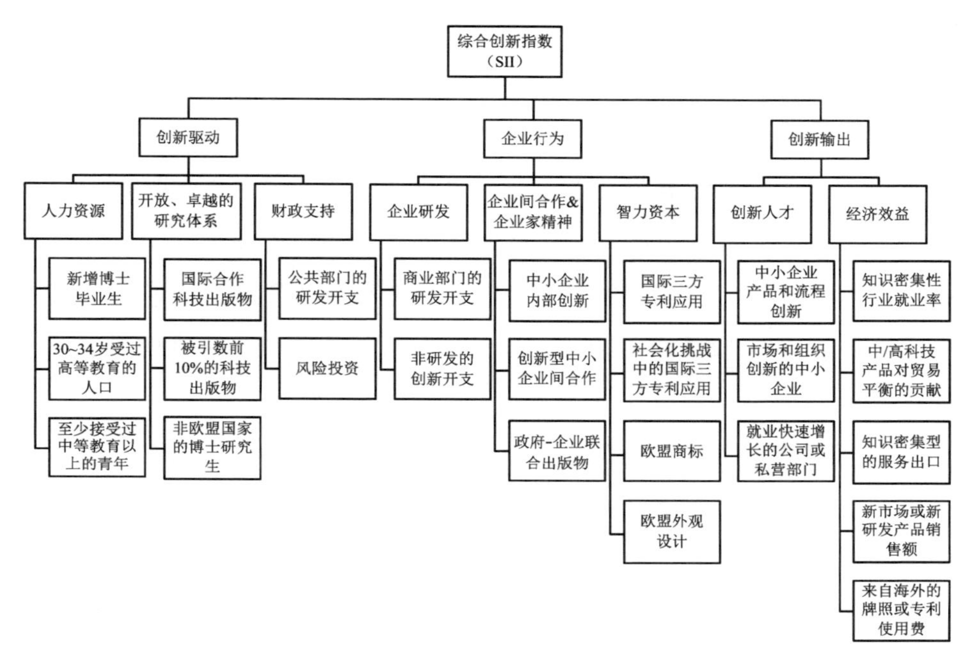

图 2.4　创新联盟记分牌 2014 年的测度框架

资料来源：Europe P I，2015. Innovation Union Scoreboard 2014[R]. The Innovation Union's Performance Scoreboard for Research and Innovation，Komisja Europejska，Bruksela.

2. 知识经济视角的国家创新评价

知识的生产、流动以及影响力的辐射是创新过程中的关键环节，以知识为基础的经济增长在 20 世纪 90 年代末出现并成为引领发展的新模式，也催生了一批从知识经济视角评价国家创新的研究。经济合作与发展组织利用年度发布的"科学、技术和产业展望"(STI Outlook)率先对知识经济进行了系统测度，涉及知识投资、人力开发、学习能力和信息通信技术(Information Communications Technology，ICT)产业等领域的具体指标，为成员国提供了度量产业结构和技术趋势变化的横向标准。经过数年发展，在最新的 2014 年版中，STI

Outlook加强了对创新政策国际化和国家创新面临挑战的关注，在不同部门的研发投入上也做了精细化的统计分析(Science, 2014)。

欧盟理事会的“全球综合创新指数”(Global Summary Innovation Index, GSII)设定了创新驱动、知识创造、扩散、应用和知识产权等5个主要维度，使用12个具体指标对各国的创新绩效进行集群分层。创新驱动关注了高等教育毕业生和研究人员的作用，在最为重要的知识创造和产权维度中，GSII测度了用于研发的公共、商业部门支出和专利数量，并对具有相似绩效属性的国家进行集群分析和组别划分。

由英国的罗伯特哈杰斯联盟(Robert Huggins Associates)推出的“世界知识竞争力指数”(World Knowledge Competitiveness Index, WKCI)是对国家创新区域知识经济发展的测度，总体上也能反映一国通过知识生产和转化构建竞争力的状况。WKCI以资本投入、知识生产、经济产出的过程为考量，较有特点的是对知识可持续的关注，教育投入会带来面向未来的高质量人才，发达的信息通信技术是知识高效传播和转化的保证，从长远来看它们是知识流动持续创造经济价值的关键。

3. 竞争力视角的国家创新评价

近年来，一些国际组织和研究机构推出的对国家竞争力的解读和评价，都把创新作为其重要的动态要素和实践路径，这集中体现为创新对经济发展方式的改变。在创新的长期塑造下，一国经济形态和产业结构升级，资源利用率和高附加值商品数大大增加，技术和知识集约型产业比重也将上升。由于外部视角观察的需要，竞争力评价中定性指标占比偏高，数据来源主要为全球范围内的企业高管调查。

世界经济论坛的“全球竞争力指数”(Global Competitiveness Index, GCI)将竞争力定义为“一国制度、政策及决定生产力水平因素的组合”，并按来源归纳为要素驱动(体系制度、基础设施、宏观经济环境)、效率驱动(健康和初等教育、高等教育和培训、商品市场效率、劳动力市场效率、金融市场效率、科技准备度、市场规模)和创新驱动(企业成熟度、创新);欧洲工商管理学院等推出的"全球创新指数"(The Global Innovation Index, GII)超越了对创新投入和产出的狭义理解,GII 用体系、人力资本和研究、基础设施、市场和企业成熟度表示支持创新的因素,而用知识技术产出和创造力来测度创新的经济效果。

不同视角下对国家创新评价的思考,催生了以上诸多经典评价体系的出现和传承,我们选择 IUS 作为典型研究对象,通过分析可以看出评价框架随着时代和创新局面的变化不断发展的过程。

IUS 的最大特点是对现实变化的灵敏反应,其从 2000 年至今的指标变化能够很好地诠释创新体系研究本身的发展。首先,对创新的认知更加多元,创新企业领域从最初的单一制造业扩展到全体行业,并对社会中新显现的创新形式——用户创新和中小企业开放创新做出了及时回应,非技术创新在指标设计中的比重逐年上升,如人力资本指标的统计中加入人文管理学科毕业生,经济效应指标的统计中加入知识密集型服务业的就业率和出口比等。其次,对创新发展的指向性更加明确,这体现在具体指标测度的精细化上,如为了避免统计重复,明确对企业创新支出比例的计算仅限于非研发创新;为了凸显知识和高学历人才对创新的推动,增加"博士毕业生比例"的评测等。记分牌也对一些本具有分析价值,随着形势发展价值指向逐渐模糊的指标(如企业和政府的创新资助比例问题,对接受机构的创新活动可能产生多样化的影响)进行了修改或删减,并尽量依据创新调查得来的一手数据建立新指标。从后续的数据对比可以得出:国家的综合创新指数往往与创新绩效增速呈负相关性分布。

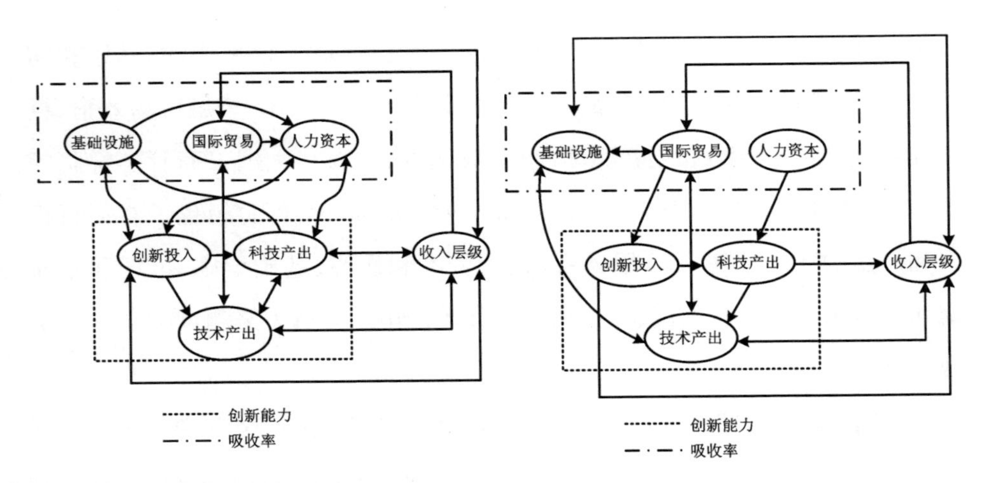

图 2.5　OECD和拉丁美洲国家创新路径特征比较

资料来源:Castellacci F,Natera J M, 2013. The Dynamics of National Innovation Systems: A Panel Cointegration Analysis of the Coevolution Between Innovative Capability and Absorptive Capacity [J]. Research Policy, 42(3):579-594.

除了常见的国别比较视角外,Castellacci 和 Natera 按照技术积累和经济发展的时间序列,通过对近 90 国数据的跟踪分析,证明了一国创新系统的驱动力来源于两大维度共同演进的作用:创新能力(Innovative Capability)和吸收率(Absorptive Capacity)①。一方面,前者的创新成果会提升国家的技术模仿能力,也会聚集更多创新领域的资源;另一方面,一国吸收能力的演化也会通过提高研发部门的生产率、确保科技政策落地等方式,反过来维持创新的持续动力(Castellacci, Natera, 2013)。本研究通过考察其中具体变量的关联,佐证了不同区域的国家集群在创新上的各自路径选择。

① 创新能力表现为创新输入,分别由公共和私立机构贡献的科学和技术输出;影响吸收率的因素包括基础设施、国际贸易、人力资本、行政效率、社会凝聚力和群体收入差距,收入水平代表了一国经济和社会发展的总体水平。

2.3 创新生态系统研究的脉络

2.3.1 作为商业战略的创新生态系统

生态系统(Ecosystem)原本是生态学领域的专有概念,意指在特定地点,由生物和与其相关联的物理环境共同组成的社群或集合体,由英国生物学者坦斯利(Tansley)在1935年首先提出,意欲用系统的方法解释有机生物与其所属自然环境的关系。20世纪70年代,组织学研究中引入生态研究范式,用以揭示社会宏观环境如何影响组织特征要素的变化,社会科学中其他研究分支纷纷效法,为研究对象的宏观机理梳理和个体互动研究开辟了新视野。

在企业管理领域,摩尔受生态学中共生演化理论(Co-evolution)的启发,针对商业活动参与者和其他利益相关者的互动关系提出了企业生态系统(Business Ecosystem)的概念(Moore, 1993),这一系统由进行投资、生产、供应、消费、贸易的组织构成,并辅以政府、工会、公共服务和标准制定等利益相关方的参与。在"产生-扩张-引领-自我更新"这一演化循环中,系统内的组织群体间面临着既竞争又合作的局面,它们组成经济意义上的联合体(Moore, 1993;Moore, Curry, 1996)。

伊恩斯蒂(Iansiti)和莱文(Levien)的研究认为,创新生态系统是一个关联松散却又彼此依靠的系统,核心参与者支配着系统内部微观层面的投入产出,这就导出了企业在生态系统中的三种战略选择:核心(Keystone)、主导(Dominator)和伺机获利(Niche)(Iansiti，Levine，2004a)。他们还提出了企业生态系统“健康”的概念,并揭示了个体的健康发展对其他个体乃至系统整体健康的辩证关系。伊恩斯蒂和莱文的观点表明了企业战略视野上的新思维:从追逐私利、修炼“内功”到创造条件推动整个系统的健康发展,而最有效的方式是有实力的核心企业对“平台”(Platform)概念的接受和推进,当整合形成的平台为系统内其他成员提供更优质的服务、工具和技术支持时,反过来会促进所有成员基于共享的进化(Iansiti，Levine，2004b)。

阿德纳(Adner)借用高清电视和苹果音乐软件 itunes(苹果公司开发的下载音乐与视频的软件名称)市场化的案例,说明企业产品创新的成败往往取决于同处创新生态系统中其他合作伙伴的生存和参与状况,以及整个系统环境的变化情况,并提出要准确评估市场进入时的系统风险,转而寻求具有较低外部风险的市场机会(Adner，2006)。在四年后的研究中,外部创新者挑战对核心企业的战略影响再度被提及,作者建议企业利用位于创新链中不同位置的创新挑战产生效应的差异,对相互依存的系统资源进行纵向整合,协同提出终端产品服务(价值输出),实现有效增加价值、缩短产品生命周期的目标(Adner，Kapoor，2010)。

根据国内学者利用 Citespace(与 Jave 相关可视化文献分析软件)所进行的分析,文献 Moore(1993)、Iansiti & Levien(2004)、Adner(2006)在创新生态系统研究中被引率最高,其他同时期和后续的研究者进一步发展了他们的理论,并衍生出许多新视角(梅亮 等，2014)。

针对系统成员间的关系,普伦德加斯特(Prender)和伯松(Berthon)提出交错群落(Ecotone)的概念并和生态系统加以对比,认为系统内松散的成员间距离能够刺激共生需求,也能为合作关系选择和系统设计留足更大的灵活度(Prendergast，Berthon，2000)。Li 对思科(Cisco)公司利用兼并战略构建起的创新生态系统进行了案例研究，并运用专利分类数据刻画出其技术图谱（Li，2009）。

在自然生态中，由于存在着能量的循环流动和营养、信息的传递，个体生物在系统内的供给和需求关系能够通过系统分析加以识别。将这套原理推演到创新活动中，生态形式的创新系统能充分考虑创新过程中的要素需求和供给情况。借助动态变化的环境，这种主体（生物体）与要素（环境）之间物质、能量的流动传递能够循环往复，一直持续下去（Mercan，Goktas，2011），这是创新生态的价值所在。

另一些研究者希望通过开放创新和平台创新的实践完成对创新生态系统的建构，Chesbrough 和 Schwartz 提出企业研发能力的提升需要发展商业伙伴间的共同演进关系，并分别界定成员间彼此互补的核心型、关键型、环境型三种能力类型（Chesbrough，Schwartz，2007），这种关系的建立有助于外部创意和优势资源的引入，使得商业模式中价值创造和价值捕捉两大环节变得更具效率（Chesbrough，2007）。

2.3.2 作为国家战略的创新生态系统

20 世纪 90 年代初，关于商业生态和产业生态的论述启迪了国家（或区域）创新的研究者和决策者，他们开始思考将这一研究方法移植到国家（或区域）战略层面。将生态学概念“生态系统”引入国家（或区域）创新领域最早源于对美国硅谷的研究。硅谷成熟的高科技创新产业集群，为研究者提供了最好的实证案例。《区域优势：硅谷和 128 号公路的文化与竞争》和《硅谷先锋：创新和创业的栖息地》两本书中认为，硅谷的优势在于以地区网络为基础建构工业体系，要“从生态学的角度去思考硅谷的难以复制性”，思考“建立一个强有力的知识生态体系”。

2003年，美国总统科技顾问委员会(PCAST)启动了一项新的研究计划，旨在发掘国家创新领导力，探索创新生态面临的挑战。2004年发布的《巩固国家创新生态系统》系列研究报告指出：未来美国技术和创新的领导地位将基于一种新的体系——创新生态系统(PCAST，2004a)。这一系统将由以下诸多要素共同组成，如表2.3所示。

表2.3 国家视角的创新生态系统组成要素

优秀的人才，如发明家、创业者、熟练技工等
世界顶尖的研究型大学
工业企业和联邦政府共同资助的、产出率高的研发中心
为创新企业和创业者服务的风险投资行业
稳定的经济、政治、社会环境(使小微型企业快速成长，大中型企业持续繁荣)
政府对高潜力领域的基础设施投入

资料来源：PCAST，2004a. Sustaining the Nation's Innovation Ecosystems, Information Technology Manufacturing and Competitiveness[R].

报告将系统的核心驱动力设定为国家在科学技术、工程和数学上的潜力，据此提出了支撑系统发展的举措：① 加强国家研发能力；② 改善劳动力、教育状况，培养高科技人才和储备技工；③ 提升创业氛围；④ 持续改善基础性设施。巩固国家创新生态系统的核心实力，不仅有助于国家走出经济衰退的困局，也是继续领跑国际竞争的关键。这是关于创新生态系统的首个国家层面的愿景。

同年7月和次年，美国竞争力委员会(The Council on Competitiveness)发布了《创新美国》系列报告。报告认为，21世纪以来，创新系统和创新主体都在发生着深刻变化，它们之间日益互补、共生的关联使得创新实践不能再只着眼于系统自身的扩展，而应更多关注创新的制度设计和外部环境。报告据此提出了“国家创新倡议”(NII)的计划,希望通过人才、投资和基础设施三大模块的建设,实现社会创新环境的优化和创新生态的实现,如图 2.6 所示。

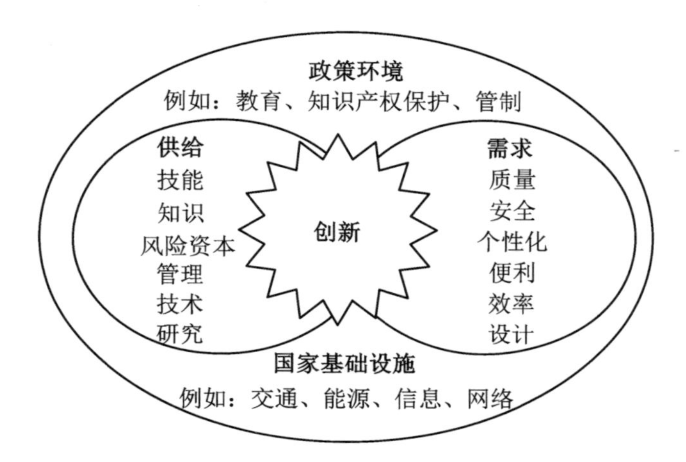

图 2.6 创新生态系统的建构思考

资料来源：Council on Competitiveness, 2005. Innovate America: National Innovation Initiative Summit and Report[R]. Washington D C: Council on Competitiveness.

人才——实施国家创新教育战略,培养多样化的、拥有熟练技术的创新劳动力。

投资——推进前沿科学和交叉学科研究,激活创新经济,加强长期投资,提升承受风险的能力。

基础设施——在全国形成创新共识,建立面向新世纪的知识产权秩序,提高国家制造能力。

报告建议,美国未来应该从提升人才质量、鼓励长期投资、完善适合未来创新的基础设施三个方面构建国家创新生态系统。此外,企业、政府、研究机构与劳动者之间需要形成新型关系，以确保21世纪的创新生态系统能适应全球经济的竞争。

2008年，世界性金融危机来临，经济下行降低了资本流动，也重挫了创新生态系统中原本稳定的供需关系。本轮经济危机的复杂演化，使全球的创新能力建设迎来了新挑战与新机遇。以美国和欧盟为代表的主要发达国家正在倡导新一轮的创新模式变革：对以往确定的创新发展方式和创新理念、创新界面需求重新加以调整。

2011年2月，白宫发表《美国创新战略(2011)》报告，首次提出了国家创新生态系统的实现路径，即通过政府、民众和企业的创新协同来促进经济的持续增长。该报告指出，教育、科研和基础设施是美国创新战略的起点和关键基础。首先，世界竞争的核心仍是基础教育，美国应该面向知识型经济发展的新需求而对现有教育体系和劳动力培训体系进行改革和创新，以储备世界一流人力资源；其次，美国必须加大科技研发投入以强化基础研究领域的领先地位；最后，通过信息通信技术的发展带动基础设施的持续改善，最终形成支持未来持续增长的创新生态，如图2.7所示。

2015年10月，美国发布关于支持国家创新的战略性纲领《美国国家创新战略》，明确提出了支持美国国家创新生态系统的新版政策框架。这一战略共分为六大部分，包括投资创新生态系统的环境基础要素、推动私营主体创新、打造创新者国家等三大创新要素，以及创造高质量就业岗位以实现经济持续增长、推动优先领域创新突破、打造创新型政府等三大战略举措。以三大战略为根基，当年的奥巴马政府希望进一步激活三大要素，实现国家创新生态系统的模式升级。

美国的创新生态系统具有以下特征：

(1) 注重创新商业价值的实现。以硅谷为代表的高技术活跃于创新集群

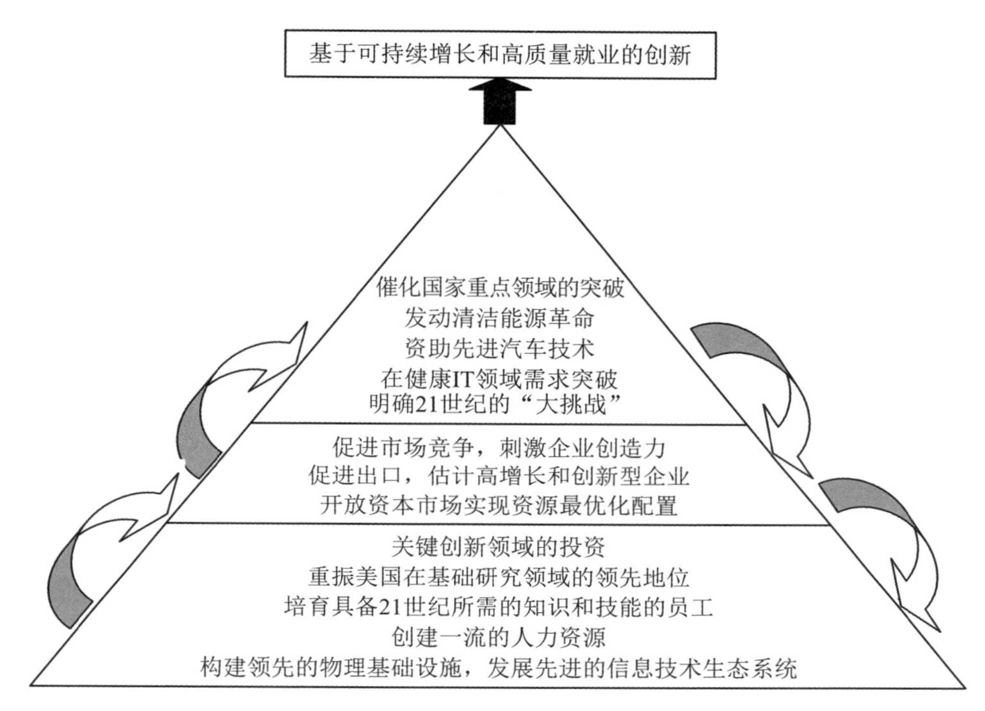

图 2.7　持续增长的创新生态系统

中，企业主导着从科技成果转化到商业创新和产业化的全流程。并且，高新技术企业与高校联系紧密，原始基础创新经过孵化，新产品、新服务被开发出来，新产业、新业态应运而生，实现了科技与经济社会、创新与商业活动的紧密结合，使创新的每一个环节都能创造新价值，并形成良性可持续的循环。

（2）完善的创新资本体系。创新资本体系构成多元化，以市场为主导的风险投资体系、政府和社会资本共生共荣的创新资本体系，各具功能和优势。为各创新主体服务的风投资本、中介机构等专业配套服务，形成了一条独特的价值链。在美国，许多科技创新型和互联网企业都在发展初期得到了风险投资，经过多轮融资发展成为行业巨头；一些大型企业也会不断收购发展前景好的初创企业，或借助被投资企业的技术优势开展技术产品研发和攻关，增加了尖端技术、管理经验和技术人才来源。

(3) 高效应变的激励措施。对高端人才有高效的激励政策，除了高薪酬外，还可以通过技术入股、股权奖励等获得持续收入。创新人才的合理流动机制也逐步健全，拥有创业项目的人才离开企业自主创业成为常态。同时，包容失败、从失败经验中培育风险投资评估的积极因素也使得试错成为一种独特的文化。

(4) 完善的社会分工体系。拥有产业核心技术、创新能力、先进服务模式管理理念的创新型企业从事技术和产品研发，起到引领作用；而拥有规模化生产、制造能力强的劳动密集型外包企业从事产品加工，寻找生产力要素价格低廉的地方生产，寻找前景广阔的市场进行产品销售；还有如物流等生产性服务业主要向外包企业提供零部件和服务，这些部门之间既有竞争也有合作，形成了完善高效、分工精细、互利共赢的产业链和价值链。

国家决策部门对创新生态的重视和推动引领了这一研究方向的不断深入。在整体层面研究的基础上，学者们试图构建出一种描述国家创新生态系统的新框架，旨在为决策者提供工具，来评价国家创新能力和创新活动，并更好地评估政策选择和可能产生的影响。

目前的国家创新生态系统模型构建主要基于以下三种视角：

(1) 以传统的线形产业模式为基础，综合“投入-产出”的创新流程和政策、市场等宏观情境建构生态模型。美国商务部技术局提出：从单个的技术项目，到企业、工业部门运作，直至国家、全球层面的创新，都是传统线形产业链的扩展。企业视角的创新包括创新投入、创新过程和创新产出这一完整的产业链，加上其所栖息的宏观环境（如公共政策、基础设施等）共同构成了整个生态系统的雏形。日本科技局则将“创新过程”描述成一个各项要素彼此互动的区域，人际网络、技术网络、资金网络、产业集群、产学合作、标准化规则等通过互动实现价值创造和创新产出，最终形成一个创新友好型市场（Innovation-Friendly Markets），让创新成果为更多公众享受。

相比于传统创新系统，产业链视角的生态系统在创新投入、创新产出和影响因素上的认知都发生了变化。创新投入和创新过程环节进一步去技术化，产生并强调了各种合作网络的价值，这些网络囊括了人际传播、技术合作、资本流动、产业集群等，形成了全新的创新投入模式；创新产出的形式更加丰富，除了经济发展和社会资源增加以外，系统还特别关注了公众的认知与态度：公众对创新活动的认识和接受程度，对创新精神的理解内化，以至能否真实享受到创新红利，都决定了创新的社会基础。然而，产业链视角的系统学说没有对其核心部分——网络化的运行模式做更深入的解读。

（2）全视角、多层次的生态模型建构。从国家的高度理解创新生态，需要通过全景视野分析和层级化认知，审视要素和环境的组织协作方式。Hirvikoski对创新系统进行了三个层面的划分，即微观层面（个体和组织的环境）、中观层面（区域环境）和宏观层面（国家和全球的经济、政治和文化环境）；结合创新环境的两个方面：有形（硬件）和无形（软件）（如图2.8所示），并将它们作为一个共同体，思考和解释创新现象（Hirvikoski，2009）（如表2.4所示）。

Wang从剖析创新过程的内部机制出发，刻画了一个由彼此互动的创新集群组成的创新生态系统。政府、企业、研究机构等主体积极参与“创新生产”和“创新应用”两个主题活动，形成了一个基础的创新单元（集群）。创新资源的供求在其间流动，用以平衡创新的生产和应用，若干个这样的创新集群构成了更高层级的生态系统（Wang，2009）。杨荣将创新生态描述为一个绩效导向型的多层次系统，以创新环境（外围层）和支持机构（中间层）为背景，核心层的创新主体从事知识生产、扩散和利用（杨荣，2014）。汪洁和王洪亮也利用行动者网络学说构建了一个整体的生态循环网络(汪洁，王洪亮，2014)。

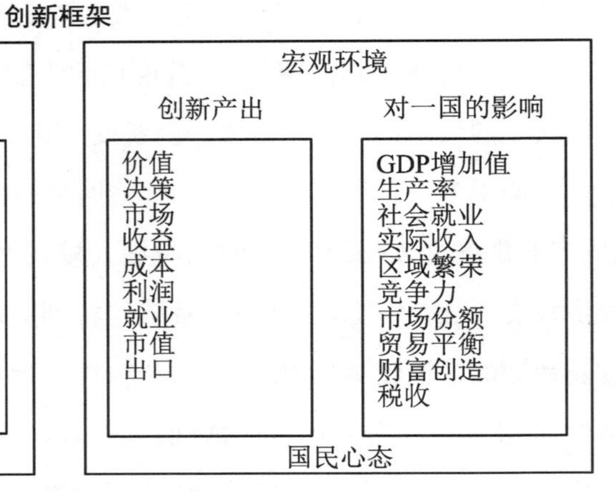

图 2.8　美国商务部技术局提出的创新生态认知构架

资料来源：U S Department of Commerce's Technology Administration，2007. Defining "Innovation"：A New Framework to Aid Policymakers[R].

表 2.4　宏微观视野下的创新生态系统

<table>
<tr><th></th><th>有形环境</th><th>无形环境</th></tr>
<tr><td>宏观层面 IES</td><td>战略管理和眼光-区域-全球范围内的创新生态系统-投资、增长指向型和市场的作用-与创新、企业相关的税收体系和法律体系-创新 & 企业服务于创新竞争-知识和教育-UNI 和其他 HEI 的作用-高校和产业界的补充作用</td><td rowspan="2">作为自组织核心的独立个体-氛围和态度-当系统紊乱时，源于系统一致性和保密性的价值-依赖于负有责任的团队和个人的自组织-作为自组织方式的权力和心理能量-驱动力：杰出的领导力、有创新精神的媒介和教育机构</td></tr>
<tr><td>微观层面 IES</td><td>"毋变革，即死亡"的信条和战略管理-创新生态系统内部管控-创新的传播-矛盾对立，如"效能至上"与"激进式创新"-激进式创新的实施-与创新相关的经济环境-基于创新的资源争夺</td></tr>
</table>

与产业链视角不同,层级化的模型建构十分强调集群中创新主体的高度自主性,它们可以根据需要变换从事的活动和所处的集群,也可以同时承担多项任务、从属于多个集群。各主体在完成任务、保持自身功能的同时,还能衍生出关联主体的功能和组织形态,这一共生共荣的态势促进了系统的自生长。

(3) 功能模块式生态系统建构。部分学者将整个系统简化为数个功能不同模块的集合,强调各模块的主体功能和核心价值。通过考察各模块之间的动态演化关系和对整个系统的影响,寻找最有利于创新生态发展的时点。

杰克逊(Jackson)认为,从创新和实体经济关系的角度,创新生态系统可被视为"研发经济"(Research Economy)和"商业经济"(Commercial Economy)的合作共生体,两大经济系统间存在创新资源的双向供需关系,当研发经济中的创新产出被充分利用并推动商业经济发展,这种发展随即能支撑研究经济继续前行时,整个系统的生态便达到了平衡状态;而当创新带来的增长超过初始研发投入时,系统就取得了新的成长(Jackson, 2012)。爱思特林(Estrin)将生态系统中的栖息者划入研究、开发、应用三大群落,它们的健康和平衡带来了系统的可持续性,而冒险、开放、质疑、耐心和信任等价值观则决定着群落的应变能力(Estrin, 2008)。王海花等人构建了"知识-组织-制度-空间"四维协同的系统框架,并为最终实现"系统优化、协同创新、价值创造"的目标划定了实施路径(王海花 等, 2014)。

我们归纳了上述两种视角在创新生态系统评价上的差异:

(1) 出发点不同。寻找两者的评价差异,首先要明确评价工作为谁服务这个问题。商业创新生态一般由有实力的战略核心和平台整合者主导,从他们的角度评价创新生态的发展状况,旨在评估这一战略实施为企业带来的实际价值,寻求下一步的发展方向。而国家创新生态系统的评价一般由政府决策部门或相关政策研究机构、科技智库主导,旨在评估各创新主体之间的生态关联程度与整个国家为创新事业发展所能提供的环境营造和要素供给情况，不仅局限于商业或区域层面，视野也更为宏观。

（2）目的不同。企业营利的本质和企业家逐利的天性决定了评价工作的目的是使IES的发展更好地为企业拓展业务、提高效率、配置资源等，而较少考虑战略实施引发的区域和社会问题，即主要从企业自身角度评价其成败。国家出台的政策具有公共性和普遍意义，评价不仅要考虑到创新事业本身获益的情况，还要从经济、政治、文化、社会、生态等多维度综合考量其影响，并且更加注重各个群体之间的公平性。

（3）路径不同。两者所处视野的差异决定了评价路径的不同。在国家创新生态系统评价中，研究倾向于从环境养成和要素、服务供给两个方面评价体系设计，包括适宜创新活动开展的政策、人文、生态、风险等环境状况和资源、人才等要素流动演化情况以及机构运作、市场服务对国家创新的支撑度。商业创新生态评价更关注组织视角下开放创新策略实施的有效性，类似于利用创新生态系统工具进行的一次组织诊断和前景分析，更注重实际操作性，同时反馈机制也更为灵敏高效。

在中国，虽然没有国家层面创新生态系统建构动议的提出，但近年来，各地针对不同的区域环境和创新要素提出了一些区域性的创新生态宣言。2017年2月，江苏省提出通过集聚高端创新要素，打造一批具有强吸引力的产业平台、创新平台，为创新人才提供便利的“创新熟地”和事业平台，形成对创新要素和人才的“强磁场”，致力于营造生命力旺盛、根植力强大的创新生态系统，使全社会的创新活力充分迸发。

例如，在创新驱动战略的推动下，西部的宁夏回族自治区于2017年7月提出了“打造风生水起的创新生态”，并提出了具体举措：一方面深化科技体制改革，增强政策灵活性，给企业、高校、科研院所等创新主体赋予更多的自主权；另一方面从物质保障、精神激励、法治环境等多个层面培育鼓励创新、宽容失败的文化。

在回顾已有评价模式的基础上，我们对创新生态研究形成了如下认知：

(1) 从研究模式来看，第一代技术推动的线形创新模式仍在深刻地影响着创新研究。对于创新生态系统的部分描述性研究仍然以“投入-过程-产出-影响”的线形创新架构为基础模式，公共政策、国家战略、基础设施等与创新相关的环境要素仅作为创新活动的宏大情境机械存在，并没有对创新生态的功能和互动机理的细微阐释。

(2) 从研究对象来看，创新生态的概念最早发端于产业层面和区域技术领域，这使得目前的国家创新生态研究偏重从技术型企业视角出发，对单个创新主体进行分析和情境评估，最后探讨其在国家宏观战略中的定位。然而，生态视角下的国家创新是资本、技术、知识竞相涌流的综合成果，是国家层面的顶层思维和一体设计，需要进一步研究国家主导下各创新主体及它们组成的各式创新系统交互联系、动态演化的情况。

(3) 从研究方法来看，生态学理论的类比、集群理念的引入，都成为目前重要的研究方式。在评估创新环境和创新影响力时，个别具体的经济数据较难概括全貌，构建由生态系统各部分及其间复杂联系的经济变化、政策供给、文化传播、科教资源等多维度指标组成的评价体系或能实现完整阐释。

(4) 从研究前景来看，目前的研究集中在生态系统的建构模式、决定要素和运行机理上，对系统内各主体和要素的功能性研究有待加强。当系统运行不畅时，国家如何运用政策杠杆进行系统调适；如何对系统的创新效率进行体系化的动态评价，并对系统的未来发展做出前瞻性预测，也都是未来国家创新生态研究的题中之意。

第3章
国家创新生态系统的内涵解析和系统理解

3.1 国家创新与创新生态的结合

3.1.1 现有理解和评价框架的不足

在第2章中，通过对国家创新理论与评价方法的文献研究，我们发现：以何种结构或类比去阐释清楚国家创新的运行状态，是过往研究中学者们面对的首要问题，也为不同时期创新政策的制定打上了鲜明的认知与诠释的烙印。

最开始，在新古典学派和线形模式主导、生产函数给定的前提下，国家创新就是政府以增资、减税、补贴等方式直接刺激社会生产者的创新积极性，且扶持重点多在基础研究和实验室阶段，远离大众和市场，这种“刺激-反应”的直线对接，形成了当时较为朴素的国家创新观。在创新体系的概念提出后，整个国家创新被描绘成一个庞大的机械系统，以技术和知识的生产、扩散、消费为主线，串联起创新主体的互动协调，以网络式合作推进整体创新能力的构建，政府从对具体创新点的关注投入转为全流程参与，包括矫正系统失灵、促进横向合作、降低应用和沟通成本、利用反馈机制监测创新效率等，扮演着机械系统调适者的角色。

无论是物理式的“刺激-反应”，还是工程式的机械体系，国家创新的基础结构都是固定的，创新参与者或是被动地接受刺激、完成创新，或是庞大机器中的微小零件，专注于特定创新任务，并听命于国家层面的统一调配。个体层面没有足够的自主权，难以突破既有的系统安排，遵循自身特色寻找新的创新路径和资源；整体设计层面则缺乏灵活性和动态变化能力，在如何激发基层创新者活力，使创新政策及时回应现实变化上的能力建设也有待加强。

值得注意的是，从中国的国家创新历程和文化氛围来看，我们尚处于一个以集体为导向、用谨慎尝试来规避风险的阶段，已有的创新理解体系无助于为个体创新者争取更大的自由度和施展空间，也较难实现以“降低风险”取代“规避风险”、逐步下调创新的试错成本，通过鼓励协同实现为创新编织社会化“安全网”的目标。

更为重要的是，在传统国家创新体系的评价环节，过于强调对创新知识的获取、创新技术的提升和对经济增长的贡献度取向，以较易量化的指标评判创新的成败和体系的优劣，却相对忽视了创新环境的适宜性、新进入创新者的生长性、中小参与者创新路径的通达性、创新体系的可持续性这些软性指标的考量。唯宏观视野和经济实绩考量而缺少对中微观主体、要素动态演化的刻画，有较大可能会使创新评价重新走上“投入-产出”的传统道路。为了短期的政绩考核，决策者将倾向于追求收益高、见效快、体量大的创新成果，那些有利于整体创新氛围营造、成长性好、周期长的战略性创新布局和具体安排却容易被忽视。发展创新生态系统，正是为了最大限度地避免人为因素对政策框架的负面影响，重新规划国家可持续创新能力和环境发展的政策通路。

3.1.2 国家创新生态系统与国家创新系统的不同使命

国家创新的体系化进程是历史发展的产物。在每个发展阶段,各国会根据自己的创新基础条件和发展特点,以不同的制度安排推进,形成各具特点的创新政策和战略布局。我们提出将IES引入国家创新研究,首先要思考的是它与现有的评价体系之间的关联性与契合性。

近年来,对这一问题的研究出现了几种观点:① 倾向于从创新生态系统的生态学本质出发,探讨其对于创新系统的先进性。陈劲和李飞认为,国家创新体系的发展经历了“生存-适应与生长-进化”三个阶段,后两个阶段是创新生态系统聚焦的关键,也就是说,创新生态系统与创新系统一脉相承,是同一体系在不同阶段的表现,前者是后者的更高形式和发展必然,创新生态系统形式的路径是生态思想对创新系统的不断渗透(陈劲,李飞,2011)。② 创新生态系统和创新系统属于“一体两面”的关系,两者的研究侧重点不同。创新生态系统重视创新的市场嵌入过程和市场机制的价值,致力于将创新刻画为新的市场竞争模式;创新系统则更强调制度、政策等非市场因素的作用,更多的是以政府集中决策“建设”国家创新,带有计划配置的意味(Papaioannou et al.,2009)。③ 创新系统着重探讨系统中结构与功能的关系,创新生态系统将其在一定环境下的具体运行过程考虑进来,最终形成的是功能、结构、行为过程与环境之间的四维互动演化,创新生态系统是系统本身与环境动态关联后的创新系统(赵放,曾国屏,2014)。

已有研究对两者表述与界定的差异,更多的是由于实际研究设计的需要。我们认为,不论哪种观点,都表达了这样一种思想:创新生态系统是在创新系统基础上发展起来的一种国家创新研究方法,它保留了创新系统化协作的优势,并运用生态思维重新阐释了系统的组织形式和主体间的关系。创新生态系统的发展更加依赖环境，更加聚焦过程，更加注重演化，更加强调动态性和自组织，使得创新模式能够跟随甚至引领创新发展趋势，不断解决新问题、满足新需求。

3.1.3 引入创新生态的国家创新思考

"创新生态系统首先应是一定的空间范围内的成熟创新区域；其次是以成功的大型企业为核心的创新平台以及由此兴起的前瞻性产业、行业；最后是来自全球的企业家和投资者投身上述事业。"（Andersen，2011）这是安德森（Andersen）关于创新生态系统的论述，实际上为国家视野下创新生态系统的发展提供了一种很有启发性的思考框架，解析如下：

（1）创新生态系统必须建构在具体的空间范畴之内，这一区域（或国家）应当具有一定的有利于创新发展的基础设施，对于企业和社会生活中的创新具有普遍、积极的正面认知，这是对国家创新生态系统研究界域和基础条件的确定。

（2）以大型创新机构（企业、研究机构等）业务推进为核心，在平台搭建中产生需求、引入中小创新者共建及满足需求、完善平台，是国家创新生态系统建构的主要形式和切入点。需要注意的是，相比于产业和区域生态，在国家创新生态系统中，政府决策方对于整体布局和系统调适拥有更大的话语权。

（3）创新者的自由流动伴随着资源、信息、资金等要素的涌入，致力外向发展的创新主体为了自身生存，合作形式逐步从双向关联、多重互动到组建联盟、形成网络。创新生态系统的繁荣既可以使原本在功能、结构、效率等方面存在不均衡的创新主体趋于均衡，进行生态化重组（刘友金，易秋平，2005），也能从整体上提升国家在科技、教育、产业等方面的国际竞争力，这也是国家创新生态系统发展的两大目标。

相比于之前的国家创新理论与实践模式，国家创新生态系统具有以下优势：

(1) 功能进阶。作为沟通公共与私营部门，共同推进新技术的发明、变革和商业化的社会网络，国家创新生态系统是国家创新理论在"社会、经济、生态"多维发展观视野下的拓展与深入。创新的商业(经济)价值不再作为评价创新成败的最主要依据，决策者转而关注国家创新环境要素和可持续创新能力的培养。此外，生态系统强调在一定范围的创新栖息地内创新要素的有机聚焦，创新物种集聚的创新群落相互连接组成创新生态网络，使得信息、资本和人员在网络中得以自由流动。

(2) 动态演化。在创新生态的理论框架下，整个国家创新被看作一个具有生命力的、可演化的生态系统，系统中最重要的任务便是主体之间的协同演化。正如福田(Fukuda)和渡边(Watanabe)提出的创新生态系统基本原理：产业和能源替代实现可持续发展；协同演化实现自我增值；组织惯性引发向竞争者学习和产业重组后的异质协同(Heterogeneous Synergy)，具有不同竞争优势的主体通过向其他参与者学习借鉴，发展了自身的核心能力；这种互补基础上的协作关系能有效应对外部环境的变化，也能使创新资源得到更有效率的释放和应用(Fukuda，Watanabe，2008)。

(3) 要素虚拟。生态系统中创新的认定更加宽泛，商业模式的重塑、组织培训的进行、创新文化的变迁、信息系统的升级，甚至资源的重新配置、政策制度的规范化、管理上的新实践都可被视为新的创新形态。这意味着关乎创新发展的经济走势、政策法律、知识智力等虚拟型要素扮演着更加重要的角色。

(4) 公众参与价值。公众既可以是创新成果的使用者和消费者，也可以是创新活动的直接参与者和投资人，私人投资占国家研发投入的比重正不断上升，公众的市场选择、创新投入和对创新收益的预期最终决定了创新在国民经济中的影响力。因而，作为更高效率的创新形态，创新生态系统的构建不仅能实现更好的经济增长、新市场开拓、就业和财富的创造，还能贡献更多的知识资本，为社会成员提供更优质的生活。

(5) 成果产出的生态化。当创新生态系统发展到一个相对成熟的阶段时，便可以对其成果产出情况进行评价。当然，这种产出并非传统线形创新的终端产物，而是建立在以下一些原则之上的：

第一，从结构上看，产出不再处于整个创新体系运行时间轴的最末端，而是发生在 IES 演化的各个阶段，只要是有系统服务使用和主体价值置换的地方就有产出。

第二，从形式上看，产出不再仅限于实物范畴(研究及应用成果、出版物、知识产权、专利等)，进一步虚拟化，主体协同水平、外部环境的适宜程度、要素的流动效率这些原本被视为过程因素的概念都被赋予了产出价值，成为衡量 IES 兴衰成败的关键。

第三，从趋向上看，创新产出的内涵更为丰富，且创新产出最终要体现到更为广阔的社会领域，根据各主体形成的演化依赖路径形成一系列可行的制度、治理方案、集群组织形式和类别主体策略，以巩固创新生态的发展成果。因此，路径产出是 IES 产出中最有价值的所在，并且这种路径产出一定要能够根据系统演化的动态不断调整形式和内容，寻找利于创新主体和要素、环境共生演化的最优方案。

3.2 国家创新生态系统的内涵解析

3.2.1 系统思想——共生演化

共生演化，也称共同演化、共同进化，这一概念最初来源于生物学领域，是自然种群的生物之间、生物与所处的自然环境之间各种有机联系的普遍现象，也是对自然生态系统结网群居、互利共生、协同竞争等属性的概括。共生演化的出现源于对达尔文选择进化理论的反思。1859年，达尔文提出以“变异、遗传和自然选择”为特征的进化学说，揭示了自然界的“生存竞争”法则后，其观点的片面性不断遭到质疑。许多学者认为，竞争只是自然界中有机联系的一个侧面，通过对不同物种之间演化相关性的研究，一种相互影响、彼此依赖的演化路径逐渐显现，共生演化的概念被提出(Ehrlich, Raven, 1964)。

共生演化论认为，共生关系的建立源于单个物种之间的行为影响，是一种相互施加选择压力，产生生态关联和进化依赖性，进而发生演化轨迹交织、改变彼此适应图景(Fitness Landscape)的过程(Janzen, 1980)。在一定的自然区域内，各种群的生物之间、生物与所处的自然环境之间的联系集合形成了一个以物质循环能量流动和信息传递为基础的、多层次的生态系统，维持着种群之间的动态平衡。同时在系统的组织、协调过程中建立起与自然环境的共生、依存关系，最终实现生态上的可持续发展。

20世纪80年代，共生演化的概念被借鉴到社会科学研究中，发展出演化经济学等具体学科和研究方法，用以分析经济和社会系统的运行机理，解释复杂现象。促使研究客体构成共生演化的必要条件包括：

（1）非单向（双向或多重）的因果联系。对于两方参与的共生演化来说，它们互为因果，没有任何一方处于从属地位，都在一定程度上影响、决定着对方发展的趋向；在多方参与情境下，多个参与方之间、参与方与所处的外部环境之间发生多重联系和变化，建立互动和反馈，形成共生网络的雏形。也就是说，每个参与方在共生演化中都具有相应的能动性，在适应生存条件、受到外部影响的同时也释放影响，正是这种“因果关系”交织的网络形成了普遍性的演化结构。

（2）层级互动和嵌入情境。共生演化可以在较高和较低的层级之间跨越，也可以发生在横向的异质层级之间，这在解释复杂、多层次的系统问题中尤为适用，有助于建立立体思维，探究宏观动因与微观行为之间的联系，最常见的应用是对组织内外部环境之间的演化分析。这也催生了其嵌入特性的显现，任何一个作为研究对象的个体，其行为都处于特定的社会历史情境中，演化路径便会受到当时当地社会经济、政治制度、文化意识等要素的影响，这些影响表现为宏观意义上的选择压力（Selective Pressure），对微观演化秩序施加着重要影响。

（3）正反馈机制和复杂性。由于非单向因果关系交织，演化的复杂性加大，同时由于系统面貌瞬时多变，原有的演化目标在新的形势下失去了现实意义，需要依靠参与者的局部协作组织以应对这种不确定性。复杂性增强的另一个原因是参与者之间正反馈机制的建立，正反馈能将系统内外部变化对系统的影响不断放大，使系统从稳定走向活跃，更加开放和多变，实际上成为助推、扩散创新的有效形式。

（4）演化路径的依赖性。已有研究表明，在正反馈效应的作用下，系统的演化轨迹在受到偶然因素影响后，会产生一种自我强化式的路径依赖，从而沿着特定的路径继续演化下去。当路径演化偏离了初始设计目标时，参与者需要进行调整，从“不适合”的路径重新回到“适合”的路径上来，而惰性（Inertia）就代表这种转换所需要的时间。在共同演化中，惰性的大小既取决于参与者对历史、文化、传统等过往因素的依赖，也取决于当下的决策方式、信息量大小以及信息处理效率，成熟的演化参与者在面临路径偏离时，懂得利用已有资源，根据较少而必要的信息，在短时间内找到优化方案。同时，他们也能够顺应路径依赖的天性，从过去积淀的知识、文化、传统中培育优势，以期在未来形成符合自身特色的能力属性。

在国家创新生态系统中，共生演化是贯穿始终的系统思想，也是各参与者自我进化和互动的基本法则。无论是机构参与者，还是离散状态的个体参与者，他们都处于特定的演化局部中，其吸收学习的能力有限，要想获得整体系统中的资源、知识和信息等，只有通过与邻近的其他参与者建立起互动式的因果联系。参与者周围的关联网络越密集、互动内容越丰富，更多通量的引入就越有可能为知识生产和自我创新提供素材。当“引进-生产-推广”这种双向创新扩散模式成形时，创新主体之间彼此开放创新过程，共享创新资源，极大压缩了创新能力的培育成本。

需要指出的是，任何创新方案都具有两面性，创新主体在高度依赖 IES 的演化路径及其带来的红利的同时，也要注意独立意志和自我目标管理，保持两种倾向之间的适度平衡。前者有利于在系统中寻找机会，一旦系统失灵或环境出现不利局面，后者也能保证主体不受或少受干扰（Zahra，Nambisan，2011）。

3.2.2 组织形态——平台建构

平台的概念来源于对成功商业实践的战略研究，最早的提出要追溯到汽车生产中各子系统的协作。在不同领域，平台作为一种工作方式，概念界定差异性较大，但一般都会具有以下两大特点：① 聚合。平台成员跨越了地域、级别、体量等的差异，形成现实或虚拟化的聚合整体，对资源、信息、需求进行统一整合。② 排他或屏蔽。平台拥有标准化的接口和框架，成员准入代表着创新者须对原有实现形式进行修正，以符合平台的要求，分享创新要素集聚后的网络效应，而平台之外的组织或个人则无法接收到这种红利。在平台式生存中，平台成员始终被两种动力推动，向前发展。首先是在进行网络调适和成员关系匹配的过程中，不断认知到自身在技术能力、资源禀赋、平台关联等方面的不平衡现状，并借助共生网络逐步扭转，实现动态平衡（陆立军，郑小碧，2008）；其次是由外部获取知识资源和社会资本，支撑内部变革，以期提升学习和合作效率。

作为一种连接双边用户群体的产品或组织形式，在互联网经济时代，平台逐渐成为以互补为理念、多边协议为基础规则的新兴商业模式。平台的参与者可以在共享资源、服务的基础上实现价值创造和置换（张小宁，2014）。在网络效应的帮助下，参与者产生的消费需求和平台所能提供的服务需求渐次增长，结果将吸引更多消费者和提供者的加入，用户基数的增加带来了极高的需求匹配度，最终决定了平台的不断发展。从某种意义上说，未来的商业竞争可被视为不同企业之间的平台竞争，而企业赖以生存的生态系统是否健康完备，很大程度上取决于平台内部业务域的整合效率的高低。

平台理论与创新生态具有内涵上的一致性，也为创新生态提供了契合的实践方案。在国家创新生态系统中，我们将以科技中介、服务组织等形式出现的社会化创新空间视为更为广域的创新“平台”。这样的平台建构具有三个显著特征：① 平台形成源于系统成员共同的基础或目的。平台是主体、资源、信息、服务等创新要素的集成载体，当整合形成的平台为系统内所有成员提供更优质的服务、工具和技术支持时，反过来会促进系统基于共享的进化。② 网络效应促进价值实现。除了平台搭建方外，其他成员按照要素流向可分为服务提供者、客户和中介等角色（Tiwana et al.，2010），这种多边供需关系的交织形成了网络化合作，更多提供补充型产品和服务的主体进入跳跃式生长并实现他们的价值（Cusumano，2011）。③ 不同平台的渗透融合。不同领域的平台通过寻找价值交汇建立联系，利用对接平台的资源建立新的商业模式和超级成本优势，发展起一批新型的多头组织。

在这个鲜有门槛和等级观念的平台中，真正的"创新携带者"往往是那些刚刚起步、规模较小的创新创业者；大型机构由于业务结构和营利模式的稳定性，通常并没有迫切的创新需求，但当新的战略启动时，为了快速进入新市场并获利，常见的做法是开放其创新流程，借助外部资源提升创新能力（West，Wood，2008），这是中小业者的机会所在。大型机构由于具有规模效应以及组织管理的成熟性，在市场进入中往往对于路径实施和局面掌控有充分的把握，因此可以说这是一种多赢的战略行为。

3.2.3 个体策略——生态位隐喻

生态位（Niche）原意是指在特定的自然环境范围内，某一物种所占据的"最终分布单元"。在创新研究中，生态位被用来描述创新主体与其环境要素的关联，某个创新主体占据了生态系统中的特定位置，主体的内部属性（组织结构、运行机制、产出能力、目标对象等）和所处的空间要素特征（资源分配、技术流向、政策供给等）之间的关系状态就体现着生态位的思想（钱辉，张大亮，2006）。

从空间状态上看，生态位处于创新主体和外部环境之间，一方面是环境自外向内延展的终端，形成更微观的"小生态位环境"；另一方面是主体向外连通和释放影响的起点，因此是主体与环境互动最为频繁的区域。在一个生态系统中，不论创新主体多少、覆盖范围宽窄，生态位作为关系网络交叉形成的节点，在系统环境中是客观存在的。主体寻找并填充空白节点，获得这一节点上的网络区位，在有助于自身目的实现的同时，也能够强化该节点的存在价值；相反，创新主体的退出或消亡也可能会使某些节点失去存在的意义，系统需要重新规划网络通路，使该节点的功能能够被及时承接，将不利影响降低到最小。

创新主体对生态位的选择与自身的角色定位相关，这可从创新动态程度和网络关联复杂度两个方面予以观察。生态位具有联动特性，一旦某个生态位发生变化，就会带动其他相应生态位的变化（Iansiti，Levien，2004a）。生态位为创新的直接环境与外部交换能量，同时调控主体的创新行为。这一隐喻表达出创新主体在与所处的创新生态共存均衡中发展的诉求。

利用生态位理论思考生态系统中主体的创新策略选择，可归纳如下：首先，单个主体找准、获得，进而控制、优化适宜自己的生态位，并依此不断扩大自己的生存空间和影响力，是在同质性竞争者中领跑的关键。其次，良性的竞争促使科技进步和创新需求的产生，系统资源丰富、边界扩张伴生出新的生态位，主体创新者需要及时捕捉环境变化的动态，抓住时机抢占能够带来先发优势的系统新节点，达到更高层次上的稳态均衡。再次，避免主体之间生态位长期重叠造成的无序状态，根本途径是通过新资源的对接和引入，创造新的多元需求和创新节点，为参与者的创新活动提供更大的施展空间。

3.2.4 运行特征——自组织性

自组织理论兴起于20世纪60年代，研究的是生命、社会等复杂系统在没有外部指令的前提下，依靠规则和默契如何自动形成有序结构和高级形态的问题。我们比较了生态学和集群演进研究中对自组织特性的梳理，从关系视角和过程视角描述了创新生态系统的自组织性。

从创新主体的关系来看，随着更多同质竞争者进入，有限空间内的资源和利益日趋饱和，部分有实力的创新者会及时反馈调整，通过变革脱颖而出，形成优势突破和新的竞争态势。对于异质化创新者群落之间的消长，爱思特林认为，不同创新栖息者分属在研究、开发和应用三大群落中，彼此存在链式效应和反馈机制，其中某个群落的节点变化会触发其他关联创新者状态和数量的消长，影响整体（Estrin，2008）；创新主体与系统环境的适应调控：生态系统是创新群落与其生长的环境共同栖居，进行物质循环和能量流动的结果，若这种传递借助反馈、转化作用循环往复下去（Mercan，Goktas，2011），系统就能实现生态意义上的可持续。

从系统演进的过程来看，摩尔提出了创新生态系统进化的四个阶段——新生（Birth）、扩张（Expansion）、引领（Leadership）和自我更新（Self-renewal），每个阶段都有自组织理念的闪现。创新的产生源于资源禀赋或外部环境的诱发，创新者进入使系统逐步脱离稳态，变局初现；到了扩张期，群体化的创新者相互吸引，催生出中间服务机构兴起和对知识型劳动力的巨大需求，伴随着创新环境的完善，主体间形成高度协作的网络联系，出现了柔性专门化①（Flexible Specialization）的合作模式，表现为生产模式灵活多变、需求供应及时反馈和技术信息快速吸收，这与基于相互学习的知识溢出一起，促进了互惠网络的建立（谭劲松，何铮，2009）；引领期生态系统的变化主要在生态位扩张和节点优化

① 柔性专门化是指高技术条件下出现的一种专业化分工模式，要义是能够不断满足高度细分的消费需求，并能对从投入到供应的产业链变化进行及时反馈，生产方式灵活多样。其特点包括：对新技术、新信息的快速吸收，对市场的敏锐感知，以及对外部环境和规模经济的依赖，这些都与创新生态系统的理念不谋而合。

上，鲁棒性①的产生和作用发挥，使系统在遭遇风险干扰时表现得更为成熟；在系统总体生长放缓后，进化必然导致优胜劣汰，创新者们或强化原有行为，或寻求新的创新连接和生态位，旨在避免系统衰落和替代者的建立，重塑系统活力。

在这里，我们关注到一种无形“纽带”在创新生态自组织中的作用，这就是创新文化的协同和黏合。正如硅谷的成功及其代表的创业精神一样，创新生态系统中精神层面的创新扩散也将带来文化暗示。支持尝试、宽容失败的创新文化特质与开放、自由、分享、合作的系统原理高度契合，有利于创新主体之间的身份互认和共识形成，进而产生合作的基础（Wallner，Menrad，2010）。在这里，文化不再是模糊的研究背景，而能够被用来解释在结构、制度等语境下无法解释的系统行为，文化本身虽然不能任意创造或修改，但创新主体可通过有意识的行为影响其产生作用的形式，使文化传播扩散更好地拟合生态系统的演化趋势。

3.3 国家创新生态的系统理解

3.3.1 系统服务概念的引入

与之前的创新研究强调功能、机制建构不同，创新生态系统是一种建立在

① 鲁棒性(Robustness)的阐释最初来源于统计学和控制论领域，原意是控制系统在参数扰动下维持某些性能的特性，这里是指当 IES 进入成熟阶段，即使遇到风险和外界干扰，也能保持系统整体的稳定。

遵循规律、适应变化、维持状态之上的柔性管理。生态式的创新管理需要遵循主体和要素演化的自然法则，尊重所有成员基于系统的共同利益，识别潜在的未知需求和前瞻性领域，提前预见风险并能及时管控，在“稳定和变化”的动态中维持种群进化和系统发展。正如功能之于机械式系统，服务代表了生态化的系统结构所能为创新提供的物质资源和发展条件。因此，我们提出用自然生态系统中的“服务”概念代替“功能”来描述创新生态系统的管理方式——由系统的主体、要素的状态、性质和演化过程所产生的创新成果及维持其良好创新环境的性能可称为生态系统的服务(Ecosystem Service)(蔡晓明，2000)。

在生态化的创新系统中，系统服务是指创新主体从生态系统中获得的产品、服务、影响力等各种惠益，服务既包括有形的资源供给，也包括那些为创新活动提供必要条件的无形作用。按照对整个系统生态意义的不同，我们将系统服务分为供给、调节、文化和支持四类(Leemans，Groot，2003)(各部分服务存在一定的重叠性)，如图 3.1 所示。

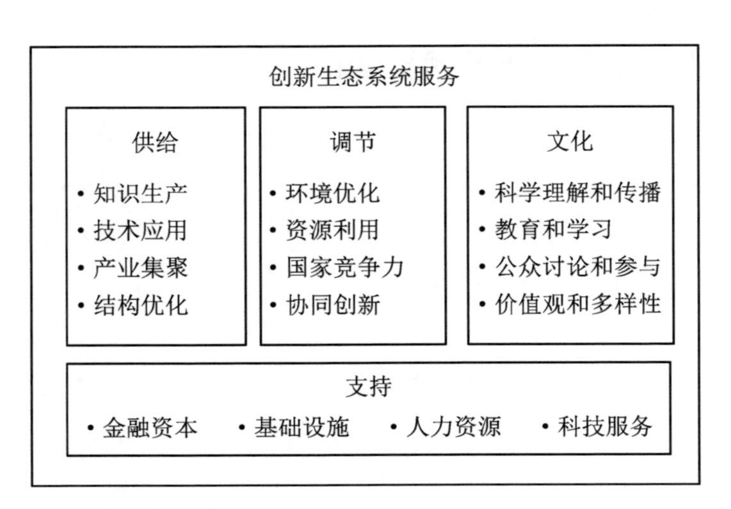

图 3.1 创新生态系统服务的构成

供给服务是指系统成员直接从服务中获得的物化惠益,也是与最终的创新成果联系最密切的一部分服务。对主体的供给包括知识生产、技术应用和产业集聚,结构优化是组织内部管理上的一种创新,也是系统供给的体现。

调节服务是对系统运行模式和主体关联变化的一种协调行为,主要表现为对环境状态的控制和共生关系的调整,包括环境优化、资源利用和协同创新等行为。在国家层面,调节服务的另一个重要作用是协调形成基于创新的国家外部竞争力。

文化服务更多以非物质型的形式出现,具有与其他服务伴生的特点。系统内部的理解交流、科学技术知识的传播、异质主体的相互学习都是其具体体现。此外,主体共进的理念决定了对多元文化和价值观的尊重。通过组织行为和系统协同,成员间将逐渐完成身份识别和价值观互认。

支持服务指生产生态系统服务要素的必要条件,是以上所有服务的基础,包括金融资本、基础设施、人力资源和科技服务等。与以上几项不同,支持服务一般不直接作用于系统成员,或是在一个相当长的时期才产生效应。

3.3.2 主体视角的单元分析

为了便于分析系统服务的生成机制,描述单个创新主体层面的系统机理,我们对异质性的主体做归一化思考,只考虑某个成员作为概念化的分析单元时其系统属性的发挥。在一个运行良好的创新生态系统中,作为分析单元的主体主要通过三种途径与系统和其他主体关联,如图 3.2 所示。

(1) 双向流动的系统通量。包括在系统内传递的信息、知识、资本、技术和人才等要素条件,它们来源于所有系统成员的服务生成、上传、集成,并通过生态系统的平台分享机制传递到需要的主体面前。单个主体可以执行不同的系统任务,既可从事生产也能够消费,既能不断接收系统运行产生的能量和物质,也会向邻近的创新者释放出自己的产出和影响。

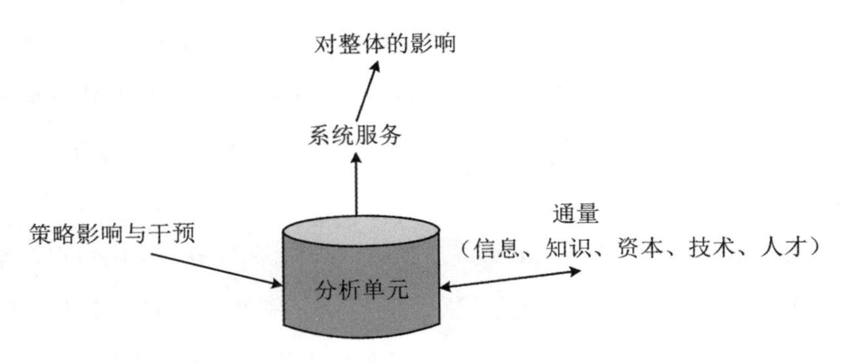

图 3.2 创新生态系统中的分析单元

（2）策略影响与干预的输入。指主体以外其他决策者行为外部效应的单向输入。在国家语境下,策略输入主要来源于政府通过税收、法律、规划、战略等手段促进或抑制创新的行为。影响与干预的区别就在于策略意图的指向性,即判断策略制定是否旨在影响生态系统的服务或状态。

（3）系统服务的输出。主体的创新活动在满足自身需求的同时,也为系统生成了特定的服务输出。服务生成是主体对整体施加影响的主要方式,更是进行价值置换的前提,各主体服务的集成为平台共享提供了基本素材。成熟系统的一个重要标志就是服务的可替代性,当系统存在功能冗余时,任意一种服务的缺失都有其他主体生成的同种服务(或由能够生成同种服务的新主体及时加入)予以补偿,这样总体服务的丰富度便能得到保障。

系统服务生成是完成于主体范畴,并向上传递的过程;系统服务共享则是来自主体的服务资源集成后,借助平台战略的实施置换增值的过程,两者一以贯之。我们用如下这种双层互动模式来解释两者的关系。在下一层中,处于生态网络节点上的生成服务并向上输出，在上一层集结形成 IES 平台的主要共享内容，在创新主体遵循战略规划做出选择后，这些以系统服务形式存在的信息、知识、资本、技术和人才等要素条件又会回到不同的主体内部，为主体的继续进化做出贡献，如图 3.3 所示。

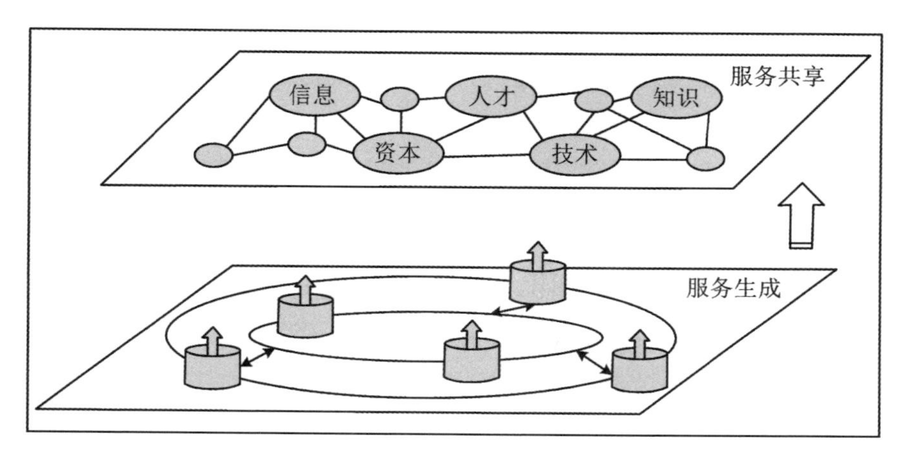

图 3.3　创新生态系统服务生成与共享的双层互动

3.3.3　整体视角的系统理解

依循主体视角的分析，我们进一步梳理了系统服务、影响其产生作用的系统驱动力，以及系统最终目标之间的逻辑关系，提出了一个国家创新生态系统的理解框架，如图 3.4 所示。该框架的建立参考了联合国关于全球千年生态系统评估（Millennium Ecosystem Assessment，MA）的操作方案。

在创新生态系统中，驱动力是系统变化的主要形式。驱动力包括导致创新生态系统发生变化的各种因素，它们会直接或间接地影响主体行为、系统服务乃至系统目标的达成。

直接驱动力是指与创新活动联系最为密切的因素或过程变化，如新技术应用和转移、科研基础设施状况、产业辐射、教育和培训、要素分配制度、知识产权保护、科技传播和文化等。它们能够直接作用于系统服务，对生态系统发展具有指向清晰的影响。

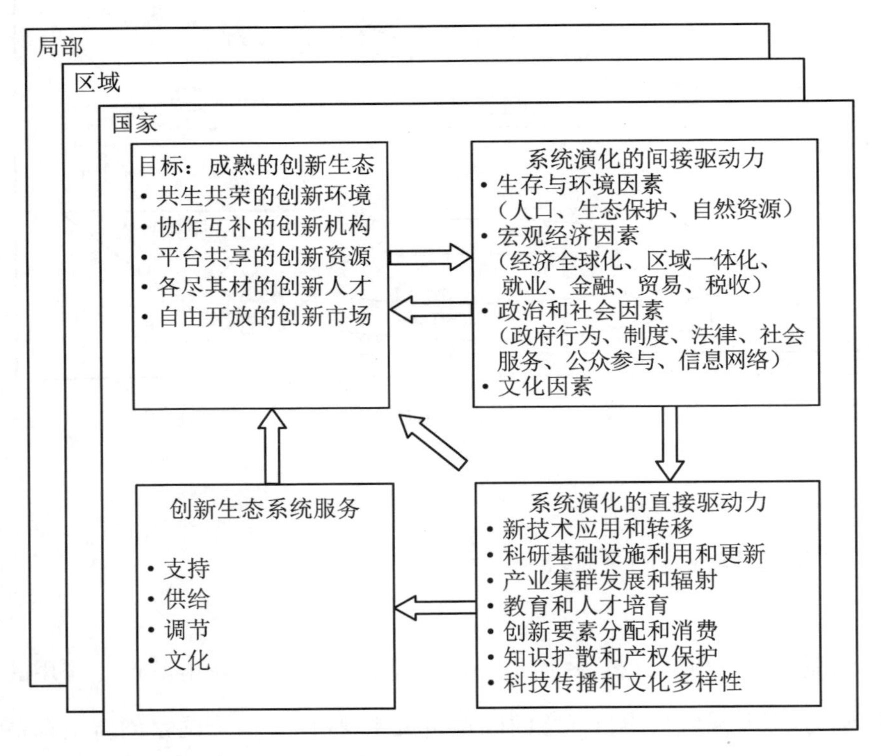

图 3.4 国家创新生态系统的理解框架

间接驱动力则包括生存环境、经济贸易、政治社会、文化等宏观因素，它们泛化的特质决定了影响作用的模糊性，因而无法直接对系统服务产生影响，但可以通过对一个或多个直接驱动力的影响发挥作用，如信息网络的发展和通信工具的多样化为产业领域带来了更多非地域性的要素聚合,也使得知识的传递分享更为便捷。通过系统的反馈,功能相关的驱动力之间逐渐形成协作影响的普遍机制,这一特性可以为创新主体所利用,通常也是决策者介入和影响生态系统的重要方式。

生态学中的个体、群落与景观一起,组成了自然生态系统的多重层次。但目前的多数创新生态研究都使用单一视角进行分析,没有将主体行为、系统服务与具体的层次结构联系起来。我们认为,主体和系统生境之间的互动作用需要放在现有架构之内加以描述。因此,创新生态系统理解框架从局部、区域、国家三个层次逐级而上来探究每一级的演化特点。

在局部,创新生态系统以创新型企业或机构为核心,形成放射状的创新平台,外围的供应、消费、补充、竞争主体是实施创新战略的核心抓手,核心创新方的需求分包也能给予外围主体更大的成长空间。在区域层面,创新生态系统的核心通常是围绕着创新主体形成的延伸价值链(赵放, 曾国屏, 2014),与局部视角不同的是,创新活动的重点不再局限于产业领域,研究、开发等更接近创新源头的主体单位由于技术和知识上的相似性聚合起来,而它们发展所依赖的要素条件也表现为空间上的共生状态,这一切都加速了区域创新生态的形成。国家层面的创新生态系统构建中,前述的核心与外围主体的区别逐渐失去了宏观政策意义,决策者倾向于重回整体思维结构,打破创新者和其他系统服务的参与者、支撑者之间的身份界限,以“创新的产生和使用促进主体的能力和价值增长”为标准,一体裁量所有的创新生态系统参与主体,国家创新生态系统也将演变为在一定的时空情境、要素条件下,如何协调国家范围内的创新主体关系、营造适宜创新的文化氛围,为创新提供养分的学说(Dvir, Pasher, 2004)。

无论是系统服务的提供还是驱动力的影响,无论主体和生境的演化发生在哪个层次,其最终目标都在于发展一个成熟度高的创新生态系统。生态系统成熟有两个层面的意义：一是系统内变化的稳定性和可预测性，表现为自组织的活性建立在更稳定的变化之上，同时管理系统、预测变化的能力不断提高；二是这种稳定变化的可持续性，在面对外部动荡时具有应对系统变异风险的弹性，承受并及时修复各种扰动（Harrison，1993）。

具体到系统表现，我们可以从五个方面评估特定系统的成熟程度：① 共生共荣的创新环境。评估创新活动与所处的社会、文化和自然生态的互动情况。② 协作互补的创新机构。评估机构属性的创新实践主体在系统框架下的分工与合作。③ 平台共享的创新资源。评估创新生态的现实要素基础和配置、流动情况。④ 各尽其才的创新人才。评估教育培训架构、质量控制和人才现状，以及为创新活动提供智力支持的情况。⑤ 自由开放的创新市场。评估孕育创新的市场经济发展阶段、相关政策法律服务的保障情况。

3.3.4 演化过程视角的系统理解

综上所述，我们可以对国家创新生态系统给出符合本研究情境的工作定义：在一国的地理空间范围内，各类创新主体、群落与外部创新环境之间通过信息、知识、资本、技术和人才等要素条件的连接传递，产生共生演化、符合生态运行规律的动态网络结构。其成形的具体步骤包括：

（1）创新活动的参与方（创新型企业、科研和高等教育机构、新业态下的民间组织和个体创业者）、创新政策的制定方统称为 IES 中的创新主体。他们之间由于地缘接近或虚拟的产业、价值连接，彼此建立双向或多向的因果联系，并以这种因果关系网为通道，与更多的主体建立联系，以主体为节点、多重因果关联为脉络的创新生态系统雏形初现。

（2）创新主体在创新生态系统中的边界和定位趋于稳定，开始占据创新生态中的某个特定生态位，学习适应周边环境和系统变化，据此调整自己的目标设定。这一阶段的另一个特点是随着演化复杂性的加剧以及主体与环境之间正反馈机制的形成，正反馈将微小的系统影响因素不断扩大，使系统脱离稳态，进入活跃期，这也是创新扩散的重要途径之一。

(3) 系统运行带来了由要素条件(信息、知识、资本、技术和人才等)构成的系统通量的交流，它们在主体内部演化作用的结果，一方面满足了创新需求和达成了主体目标，另一方面为了价值分享和置换，向系统上传部分成果作为系统服务集成，向所有成员开放。服务集成载体——平台出现，主体可根据需要对接服务共享，补齐自身短板。

(4) 平台服务的繁荣使得：① 大型创新机构开放创新过程，中小型创新主体进入，双方在跨层级的互动中各得其利；② 主体间的互补导致高度协作的出现，表现为形式上更加柔性，内容上更加细分和专业，互惠联系取代因果联系成为主体间关联的本质，利于创新文化氛围的形成；③ 自身实力增强的创新主体优化所处的系统节点，并对所在的生态位进行扩张，以便更好地学习和吸收外部资源；④ 系统寻找到适合的演化路径，出于对成熟路径的依赖，这一特质引领着整个系统逐渐步入成熟期。

(5) 创新生态逐渐度过成熟期，开始出现各种风险和新问题，新变化触发系统的进化机制，优胜劣汰的步伐加快。为了避免系统衰落和替代者的吞并，创新主体或对原有战略进行调整强化，或另辟蹊径——创造新需求、寻求并建立新的创新连接、抢占新出现的生态位等，系统再次脱离稳态，开始活跃起来。系统变局必然会导致新成员的进入和秩序的重塑，并重新回到第一个阶段。如此循环往复，不断在实践中建构、调整、破坏、重塑，以适应不同时期的创新发展。

3.4 创新驱动下的中国与创新生态系统

虽然以上所述是对国家创新生态系统的内涵和系统机理、运行模式进行的尝试性描述，但在不同时期的不同国家，国家创新生态的具体形态是千差万别的。我们首先要对当时当地的国家创新状况和趋势进行考察，才能进一步探究国家创新生态的形态特征，并分析其与国家创新活动的契合性。基于这样的思考，我们对现阶段中国的创新现实及其与创新生态的契合性进行了分析。

3.4.1 创新驱动战略的源起和现实

在当今中国的发展语境下，国家创新的背景、形势和作用方式都正在发生着深刻变化。首先，新科技革命和产业变革正在重塑世界经济结构，信息等高新技术群交叉融合加速，发展机遇转瞬即逝；其次，全球化内涵出现新变化，科技、人才正在成为主导全球化纵深拓展的主流，创新要素的流动聚集催生了诸多产业和经济高地，提高创新能力正在向扩内需、促转型的方向蓄力；再次，全球经济结构性危机与中国经济新常态①交汇并行，世界和中国不约而同地将解决结构型矛盾的目光瞄准人才和科技创新，原有的要素驱动也正在向依靠科

① 新常态源于2012年之后中国高层对国家经济发展阶段性特征的把握。综合各类表述，新常态就是经济发展速度从高速增长转为中高速增长，经济结构不断优化升级，政府不断简政放权，市场活力进一步释放，发展动力从要素驱动、投资驱动向创新驱动转变。

技、依靠创造的发展观转变(王志刚, 2015)。

正是基于如上判断,中华人民共和国国务院于 2015 年 3 月发布了《关于深化体制机制改革加快实施创新驱动发展战略的若干意见》(以下简称《意见》),对创新驱动战略的总体思路、主要目标、具体实施细则做了全方位阐释,涵盖了创新环境、市场机制、金融创新、成果转化、科研体系、人才机制、开放创新和创新政策等 8 个方面。在所有的 30 条具体举措中,决策者以深化改革为主线,旨在破除创新发展面临的体制机制障碍。《意见》提出要推进科学技术、商业模式和体制机制的协同创新,并以需求为导向,坚持人才为先战略,在遵循规律的基础上推动全面创新。

2016 年 5 月 19 日,中共中央、中华人民共和国国务院颁布《国家创新驱动发展战略纲要》(以下简称《纲要》),提出创新驱动是创新引领发展的第一动力,要进一步将科技创新与制度创新、管理创新、商业模式创新、业态创新和文化创新相结合,并制定了 2020 年进入创新型国家行列、2050 年建成世界科技创新强国的目标。由此可见,创新驱动发展已被列为国家重要战略,并将在长周期内引领着中国各领域事业的转型、改革与推进。

3.4.2 创新驱动战略与创新生态系统：基于史密斯理论的契合性分析

创新驱动战略作为中国目前国家创新的最大现实诉求和趋势,在实践政策的过程中,需要一种契合现实情境的指导思想进行宏观布局和具体安排。当这一思想从单纯的学术探讨进入决策视野、成为政策工具储备后,决策部门会遵循“如何认知”“是否施策”“如何施策”的流程,对政策实施指定专责管理部门并预设立场,为战略思想融入实践创造先决条件。这一思想的现实价值和决策者对国家创新的规制能力也将随着整个过程的完善而不断提高(李昂, 2015)。

在本研究中，这个政策的核心思想就是创新生态系统，它将帮助刻画创新驱动实践的路线图，指导战略设计和实践中提出的各项具体目标。本研究组借鉴史密斯政策执行过程理论，分解战略（创新驱动）要素、分析思想（创新生态系统）动议，并对它们之间的契合程度进行说明。

史密斯（Smith）提出的政策执行过程理论认为，许多政策在制定出台之后并未得到贯彻实施，是由于其过于全面和宽泛，相关的利益团体和个人倾向于对该政策施以影响而非实际执行，当政府也不具备推行和管理政策的能力时，它们便成为无效的政策。政策执行过程也是社会张力产生和发生作用的过程，这一张力作用于政策执行过程的四个要素中，即理想政策（Idealized Policy）、政策执行团体（Implementing Organization）、目标群体（Target Group）和环境因素（Environmental Factors），并反馈给决策者和具体执行者，对政策执行产生进一步的促进或阻碍作用（Smith，1973）。

理想政策意指决策者通过引导希望实现的各参与方的互动模式。它需要考虑的因素包括政策形式、具体类型选择、政策依据和期望实现的理想图景等。进入21世纪后，国家战略的创新转向已经成为国运所系、大势所趋，近年来世界经济结构性调整的大背景，更是让“不创新要落后，创新慢也要落后”的理念成为共识。但从推进策略来看，国家创新发展不能急于求成，更不能流于形式和热度，演变为一阵风潮、一场运动，而应从培育创新要素、营造创新生态出发，以服务多元创新主体、促进不同主体共生发展、取长补短为内容，在增强自主创新能力的同时，提升对于经济社会全局发展的战略支撑。

目标群体是指那些需要做出改变，以适应新的政策及其带来的互动模式的人群，他们受到政策的影响也最深刻。史密斯认为可从群体的组织化制度化程度、群体领袖的态度和能力以及之前群体的政策经验等维度分析群体行为及与其的互动情况。国家创新不是顶层设计者的“独角戏”，高校、科研院所、企业、科技服务中介等机构主体，科学家、技术人员、企业家、创业者等个体主体不仅都是“主角”，更有实现自我组织发展的能力和共同构建创新生态的责任。当前，科技创新的渗透和转化速度加快，技术、商业、资本等融合触发新经济增长点的“井喷”，加之主体的创新激情高涨，这些对产业和行业格局都即将带来变革性影响。无论是学科交叉、产业协同还是行业的跨界合作，都是以共享和互补为理念，以平台式演化构筑完整的创新拼图，实现单一主体无法独立达成的任务。《纲要》提出，要明确各类创新主体的功能定位，建设各类创新主体协同互动和创新要素顺畅流动、高效配置的生态系统，正是创新主体未来融合共享发展的必然趋势。

执行团体是对政策施行负有主要责任的机构。在大多数情况下，它是政府内部的职能部门，组织和人员结构的稳定性、领导者的风格特质以及实施计划和能力是对其进行评估的重要变量。我们可从以下视角观察创新驱动发展中的政策主体：首先，政策的发布要符合创新规律和创新生态变化，特别要兼顾不同主体的实际利益，以政策资源供给的倾斜为主体指明发展方向；其次，政策的实施要注意统筹和衔接，顶层设计要集中统一，部门分工要明晰科学，整体结构要尽量扁平化，使得顶端战略安排能够直达基层，而基层末端的演化动态也能及时被顶端感知；最后，政策施行的宗旨是要处理好政府与市场的关系，摒弃政府是创新活动“总管”“管制者”的过时观念，对于普通创新主体来说，政策的供给和影响只是一种特殊的创新生态系统服务，为他们创造性的成果提供要素支持。从这一角度来看，政府应更加注重战略层面的路径规划，而将创新过程中更多的事务决策权交给市场，使市场配置资源，市场定位功能，市场决定价格，市场共享红利。

环境因素是那些影响政策施行或被政策影响的要素，各具差异的文化、社会、政治和经济条件等特定政策环境的约束决定了该项政策的独特性和正当性。Smith 在论述中提及不同国家在政策环境上的某些差异影响着政府对规制方式的选择。这也说明那些属于创新范畴之外的生存环境、经济贸易、政治社会、文化教育等因素在创新驱动发展中的作用举足轻重。良好的自然生态既是可持续理念对促进人地和谐的价值所在，也是转型发展、回馈环境的必然结果；完善的知识产权保护和标准化制度能够更好地保障创新者的权益，鼓励继续创造，使企业从创新活动中持续赢利，推广后也能缩短集群的研发时间和成本，并强化对整个社会信用、信誉的培养。清廉高效的法治环境承认了创新主体的权利和地位，激励创新的文化氛围使创新成为一种价值导向和生活方式，支撑创新成为全民禀赋。总之，所有这些看似离散式的环境存在都是重要的驱动力因素，有些可在长周期内潜移默化地影响着主体的创新过程，有些在特定的触发机制下能直接干预具体决策。注重环境的培育和与主体活动的更好融合，才能逐步借助和引导驱动力的演化趋向，实现主体共造环境、环境反哺主体的良性生态循环。

通过对以上四个方面的梳理，我们有如下认识：创新驱动发展战略与构建国家创新生态系统具有内在的契合性，在战略中嵌入 IES 的思维模式和实践方式，符合其发展方向和最终目标的设定。这为我们在下文研究中使用创新生态系统作为理论工具，探索全新的国家创新评价方法，进而测度和分析中国现实确立了必要前提和正当性。

第4章
创新生态发展成熟度评价的理论基础

4.1　创新生态发展成熟度评价的诠释

4.1.1　创新生态发展成熟度评价的内涵

本研究中使用“成熟度”(Maturity)的理论概念和评价模式对国家IES的发展状况进行评估，对成熟度体系的使用借鉴自能力成熟度模型(Capability Maturity Model for Software，CMM)，这是1987年美国卡内基梅隆大学提出的一套软件模型，用以改善组织流程、梳理工作目标、整合企业功能、明确需要优先完成的任务，为管理效率的提高提供决策支持。在具体操作中，成熟度代表一种发展完全的状态，同时也具备前瞻性预测、防范、处理风险的能力(Paulk et al.，1993)。Choo和Bontis认为CMM不只可以用于识别和规范软件开发，对项目管理、部门管理和整体组织形态的描述分析也具有很强的工具属性(Choo，Bontis，2002)。

一国范围内的创新活动原本主体、属性、范围、层次各不相同，但当它们处于同一个创新生态系统中时，可以将系统整体视为一个以强化国家创新能力、发展基础性创新条件为任务的组织，审视系统发展的成熟度。因此，我们借鉴CMM模型，为生态系统视角下的国家创新设置评价方法。

参照CMM对能力成熟度的划分，我们将创新生态系统发展的评价标准分为五个成熟度等级，分别为初始级(Initial)、可重复级(Repeatable)、定义级(Defined)、管理级(Managed)和优化级(Optimizing)，逐级进阶，达到不同的成熟水平，如表4.1所示。每一等级的核心是各自的关键过程域，IES要达到这一等级的水平认定，就必须完成一组相关的实践活动，或在创新实践和系统管理中遵循相应的理念、原则、要求等，当这些目标逐一实现后，IES就获得了该等级的成熟度评价，进而向更高等级的成熟度要求发展。成熟度越高，表明IES的系统组织、演化和主体自我管理水平越高，整个系统就会朝着更健康、更有效率的方向发展。

表4.1 CMM模型各等级对应的特征及关键过程活动

序号	成熟度等级	等级特征	关键过程活动
1	初始级	具有流程特定性，缺少秩序，项目成功依赖于个人经验和英雄主义	依赖于项目成员
2	可重复级	流程的建立用以跟踪成本、时限和功能；主要是一种反应性改善	软件配置管理，质量保障，合同管理；项目策划、跟踪与监督
3	定义级	管理、工程活动标准化、文档化；项目依照统一化、集成化流程展开	同行评审，组间协调，过程定义、集成，培训项目，集成管理
4	管理级	质量信息的收集和过程的可跟踪、可量度、可控制	质量管理，数量化过程管理
5	优化级	通过流程信息的量化反馈，促进流程的持续性改善和能力改进	过程更新、技术变革管理，缺陷预防

资料来源：孙锐，李海刚，石金涛，2008.能力成熟度模型在组织知识管理中的应用研究[J].研究与发展管理，20(2)：64-70.

4.1.2 创新生态发展成熟度评价的结构

创新生态发展成熟度评价框架可以通过等级划分，做如下描述：

（1）初始级。创新生态系统中各主体的创新活动多为自发自愿的，整体上表现为零散和无序，缺少成形的规范和宏观战略。系统组织、协调的任务基本依赖于单个主体的微观治理，创新活动的成功也主要来源于基层运作，具有知识积累和组织经验的个体因素起到至关重要的作用。

（2）可重复级。创新生态系统作为一个整体，逐步建立起确定的活动准则和框架，履行起必要的系统职能。单个主体支持着整体的任务分配和资源共享，整体也对之前较为分散的创新经验进行归纳和总结，挑选出其中有推广意义、可复制的流程和方法，促成它们在系统内的不同主体、不同层面上可重复地发挥作用。

（3）定义级。系统整体建立了面向问题解决的行动分类，管理的关键环节以制度的形式确定下来。在微观层面，各主体认可了共同利益的一致性，并自发调整自身战略，以顺应整合共生的发展大势。这不仅支持完善了主体的创新活动和架构，也在泛系统层面提升了基于协同的竞争力。面对同一共享的创新平台，系统内也潜藏着对集群合作、知识管理、创新研发等专业化、定制化服务的需求。

（4）管理级。系统层面的管理操作进入专业级阶段，如扫描分析内外部环境、搜集创新活动的具体指标、监测创新主体内部的组织运作水平、预测各类活动带来的组织效益和外部收益。风险预警和防范机制开始建立，能够帮助进入创新瓶颈期或自身管理有缺陷的主体及时查找问题、明确对策，使系统更加有序可控。

(5) 优化级。系统管理和组织工作能够随机应变,更加灵活。优化针对主体特征的定制服务,帮助他们寻找对于系统竞争力的价值贡献点。根据外部环境和资源、市场等系统通量的变化,以及主体的创新需求和反馈,对创新生态系统的运作进行有延续性的评价、维护和改善,促进"硬架构"和"软环境"的互通演化,打造出组织形态更趋稳定、运作方式适应变化、动态管理"软""硬"兼具的创新生态系统。

4.1.3 创新生态发展成熟度评价的特征

1. 差异性

国家创新发展不仅是一项系统性的事业,更是一项水平、路径、方法参差不齐,整体表现差异性很大的事业。评价创新生态没有一体适用的标准,既要了解一国历史上的国力基础和创新积淀,也要关注其面向未来的创新战略路径设计和实施能力。因此,在对不同发展阶段的国别评价中,比较合适的方法是设置有层次性的不同等级,明确每一级的具体评判标准,这样可使得一国在自身所处的发展阶段中做好定位,而避免在总体上与创新发展差距过大的他国进行不切实际的比较。

2. 落地性

小微企业、社会组织的创新创业活动①,是国家创新微观秩序和内在活力

① 这里的创业活动需要加以甄别,只有那些通过生产新产品、开发新技术、应用新知识或内部管理、服务提供、经营模式创新,对行业产业的组织结构、价值创造产生变革性影响的企业或个人才被考虑在列,而那些传统业态和经营方式的创业主体则不被考虑。

的风向标，从中也可一窥国家经济结构和社会形态的未来动向。较之创新系统，创新生态系统的变化之一就在于微观领域的一系列创新举措（Metcalfe，Ramlogan，2008），具体表现为：在创新资助方面，变一次性的“输血式”扶持为在多阶段的动态评估基础上，为小微创新机构和项目提供环境支持和科技、公共服务平台的接入，更加强调过程管理；在评价标准方面，小微企业本身的规模和实力有限，在产品的市场份额和竞争力上无法与大企业相比，却拥有强大的创新激情和内在需求，因此主要应从增强区域活力、引领新兴产业、增加社会就业、服务改善民生等方面评价其贡献度；在发展趋势方面，小微创新代表着民营经济发展的新航向，这个微观基础一旦巩固，国家创新生态中要素的流动性就能被进一步释放，从而推动社会群体跨界创新的繁荣。以上这些都是创新生态系统通过思考小微主体的生存现状，希望从微观群落的角度更真实、更深入地刻画系统面貌的尝试，在随后的系统评价工作中，这种“落地”式的思考也将贯穿始终。

3. 联动性

对创新生态系统内部联动情况的考量，能够较好地解释我国目前创新发展面临的一项主要困境：近年来，国家对科技事业的投入逐年增加，研发投入占 GDP 的比例已经从 1.42%（2006 年）上升到 2.1%（2014 年），学术成果和专利产出也跃居世界前列。然而，科技的发展并没有间接转化为产业优势，从科技到创新，许多突破性技术难以落地，造成技术密集产业高端缺失，科技实力和国家竞争力之间难以画上等号。这反映出了一种“孤岛现象”（柳卸林 等，2015）：研发活动从立项、申请到实施、评审较少考虑到产业的真实需求，成果完成后被束之高阁，另一边的产业升级却由于变革型技术的匮乏而遭遇发展瓶颈，科技和经济、社会发展的脱节问题应引起足够重视。

此前的众多创新测度更多是将成果研发和产业创新置于创新价值链的两端，或像普林斯顿大学斯托克斯（Stokes）提出著名的“巴斯德象限”（强调应用反哺基础研究背景下的双向作用），中间是漫长的转化和应用，并且缺少其他路径的连通。我们认为，在创新生态时代，创新活动是一种无中心、网络化、发散式的存在，每个创新主体都是创新活动的发起点和场所，都可以以我为主，以要素的流动和环境共享为纽带，创造并维护好自己的生态位，继而在系统中寻找和创造价值。只有当主体、要素、环境真正联动起来，实现从创新价值的单向施惠、互利互惠向共生普惠转变，整个系统才能被称为成熟。我们因而在成熟度评价中着重思考如何对上述三方的联动情况进行测度。

4.1.4 基于系统目标的成熟度评价细化

创新生态系统发展成熟度的设计是为了对各国的 IES 实践水平进行同一尺度下的评价，具有明确的实际测度指向；同时，成熟度的设计也是为了更好地对应系统发展的目标，使系统整体沿着阶梯式渐进的路径不断追求预期目标的实现。从两种指向的平衡和统一出发，我们在 3.3.3 小节对系统目标进行设定的基础上细化成熟度评价（如表 4.2 所示），也为后面研究中依循目标划分的指标设定和实证测度确立了基本框架。

表 4.2　系统目标基础上的成熟度评价细化

	创新环境	创新机构	创新资源	创新人才	创新市场
初始级	创新节点依靠各自的外部要素条件发展，互相孤立，整体环境尚未形成	机构创新活动多为自发性的，彼此分散、无序，各机构基于创新活动的职能使命也尚未明晰	更多依靠已有资源推进创新，如知识积累而非知识流动、创造，人际关系在资源获取中起到重要作用	在阶层、年龄、职业上分布不均匀，缺乏地域、层次上的流动，拥有知识和组织资源的创新者具有绝对优势	传统路径的经济增长模式盛行，社会意义上的创新需求尚难觅踪迹
可重复级	IES 的环境外延初步确定，在政府统一支配下强调政策环境对整个生态的影响	机构之间开始建立零星、松散的联系，政策供给方履行起任务分配职能	处于资料匮乏端的主体跨界跨域寻找新的资源，处于丰裕端的主体开放创新过程，出现资源共享的概念雏形	伴随着创新技术、经验、理念的扩散，固化的人才结构出现松动，但人才仍意指高学历、高科技的创新者	市场机制会对出现的创新个案进行经验梳理和传导，供潜在创新者学习
定义级	创新节点的生态位(小生境)与外部环境(系统生境)之间展开良性互动，人文和生态环境也被作为重要因素加以考量	在微观区域或集群内，机构主体间初步形成共同利益认知，并调整自身战略来适应，整体合作架构形成	主体知识、信息、技术的溢出催生了系统服务的产生，有需求的主体通过价值置换获得所需服务	企业和新兴组织中研究人员比例增加，人才伴随系统通量和服务的流动加速，需求和培育路径走向多元化	主体创新过程中出现新需求新问题，已有的市场主体职能无法满足和解决，呼唤更多的需求定制和专业指导

续表

	创新环境	创新机构	创新资源	创新人才	创新市场
管理级	主体能主动对演化中的内外部环境进行扫描分析，确定外向策略、风险预警和防范机制的建立，系统演化的路径依赖秩序并使环境更有秩序	主体能够依据预警机制或引入外部帮助及时排查自身发展问题，整合系统资源予以解决，逐步实现自组织生存	系统服务的繁荣促使生成和共享两个层面的互动，服务集成载体——平台形成，资源有效利用，推进主体高度协作	从事管理创新的人才比例增加，社会中的创新意愿上升，人才定义更为宽泛，不同的人才培育形式公平、均等发展	创新业态日趋丰富，出现一批专职的服务、中介主体满足不断增长的创新需求，市场机制能及时规范新生业态，为他们提供必要帮助
优化级(阶段性目标)	决策过程清廉公开，体现各主体的共同意志，人文素养发达且分布均衡，能够引领社会客体发展，生态友好，能源利用可持续，内外部风险较低	各类机构的创新活动在数量比例和质量上均达到高水平，彼此共融互通，机构合作能够在最大程度上实现共赢	创新开支和收入在投入、产出端占据较高比重，创新经费和知识充足易得，利于创新的基础设施配套完善	研究人员、熟练技能从业者在就业总人口中占据多数，社会各层次人才教育基本均衡，社会创新创业热情高涨，人才实现自由、按需流动	创新需求成为主体的内生动力，需求和市场服务能够较好对接，创新绩效在总的价值产出中占据优势地位，政策配套机制保证了市场活力和规范的统一

4.2 创新生态发展成熟度评价的定位

4.2.1 评价目的

对于国家创新生态系统发展成熟度,本研究旨在评价的是按照生态化路径考量一国在某一时间节点上国家创新发展的即时状态,而非评价其创新成果的存量。在各国纷纷制定面向未来的国家创新战略、确立前瞻性目标的大背景下,现有的创新发展条件能够为目标达成贡献哪些基础?当下的创新要素互动和演化现状质化为成熟度水平后如何支撑战略实施?成熟度评价能对此类问题做出较好的解释,并能结合结果,对中国的创新生态系统发展提出建议。

4.2.2 评价思路

如图 4.1 所示,本研究选取层次分析法建构指标体系,分析具体指标,处理数据,运用模糊综合评价进行实证评价,同时使用无量纲化等辅助流程工作。总体研究从建构指标体系开始,历经数据获取和分析、模型各层级评价,最终得出数据结果和分析结论。这将结合已有的实践经验,被作为创新生态系统发展路径决策的依据来探讨。

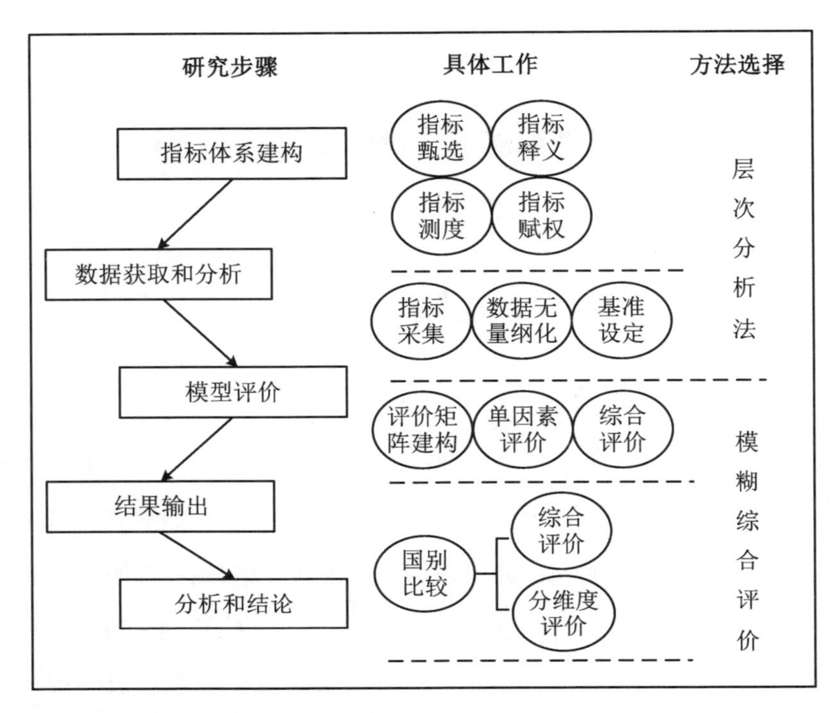

图 4.1 IES 发展成熟度评价思路

4.3 评价模型的选择

4.3.1 模型选定（层次分析法-模糊综合评价法模型）

按照上文中对评价流程的设计，本研究将层次分析法和模糊综合评价法模型结合运用，作为创新生态系统成熟度评价的模型。两种模型的操作概述分别如下。

1. 层次分析法

层次分析法（Analytic Hierarchy Process，AHP）是一种典型的多目标决策方法，适用于层次分明的有序系统中，能够有效描述递阶层次结构间的非序列关系，科学辨别同一层级因素之间的相对重要性，对指标进行赋权，最终通过综合测度实现判断决策。其基本操作步骤如下：

(1) 针对具体评价问题确定评价目标，建立层次结构体系，划分目标层、准则层和指标层，逐层构建判断矩阵，如图 4.2 所示。

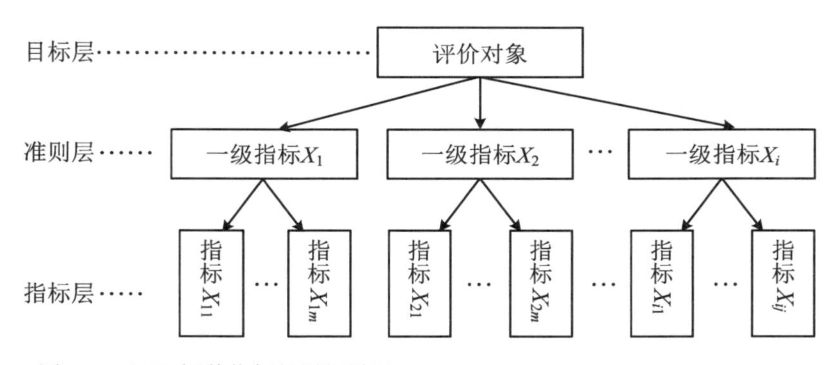

图 4.2　AHP 评价指标的层级设置

资料来源：王明，2013. 基于发展能力模糊评价的知识型城市发展路径研究[D].合肥：中国科学技术大学.

(2) 按照 1～9 标度方法（如表 4.3 所示），将同一层级的指标对于上一级的相对重要性进行两两配对比较，形成判断矩阵。例如 K_{ij} 表示指标 X_i 相对 X_j 对上一层 W 的影响大小的比值，将同一层级的指标两两逐一比较后得到的所有结果组成如表 4.4 所示的判断矩阵。

表4.3　1～9标度方法及各级标度含义

W_{ij}(评价尺度)	定义	含义
1	同等重要	指标 X_i 和 X_j 同样重要
3	稍微重要	指标 X_i 和 X_j 稍微重要
5	比较重要	指标 X_i 和 X_j 明显重要
7	重要得多	指标 X_i 和 X_j 非常重要
9	极端重要	指标 X_i 和 X_j 绝对重要
2,4,6,8	相邻标度中值	表示相邻两标度之间折中时的标度
上列标度倒数	反比较	X_i 对 X_j 的标度为 k_{ij},反之为 $1/k_{ij}$

资料来源:赵新泉,彭勇行,2008.管理决策分析[M].2版.北京:科学出版社.

表4.4　逐一比较形成的判断矩阵

	X_1	X_2	…	X_j	…	X_n
X_1	(X_1,X_1)	(X_1,X_2)	…	(X_1,X_j)	…	(X_1,X_n)
X_2	(X_2,X_1)	(X_2,X_2)	…	(X_2,X_j)	…	(X_2,X_n)
⋮	⋮	⋮		⋮		
X_i	(X_i,X_1)	(X_i,X_2)	…	(X_i,X_j)	…	(X_i,X_n)
⋮	⋮	⋮		⋮		⋮
X_n	(X_n,X_1)	(X_n,X_2)	…	(X_n,X_j)	…	(X_n,X_n)

(3) 通过矩阵计算,求解层次单排序权重向量,并进行一致性检验,确保判断矩阵符合一致性标准。求解权重向量的方法有和法和根法两种。根据实际情况,本研究选择根法进行计算。具体步骤如下:

① 计算比较矩阵中各行的乘积并求取其 n 次方根;

② 通过归一化处理,得到下层各行指标相对上层指标的权重集 W,即为代表相对权重的特征向量;

③ 一致性检验:设检验对象为矩阵 A,求取其最大特征根

$$\lambda_{max}=\sum_{i=1}^{n}\frac{(AW)_i}{nW_i}$$

计算一致性指标 $C.I.=\frac{\lambda_{max}-n}{n-1}$。

根据 n 的实际取值,查阅随机一致性比率表(表 4.5)求得 $R.I.$的值。

表 4.5　不同 n 值下随机一致性的比率检索

n	1	2	3	4	5	6	7	8
$R.I.$	0	0	0.52	0.89	1.12	1.26	1.36	1.41
n	9	10	11	12	13	14	15	
$R.I.$	1.46	1.49	1.52	1.54	1.56	1.58	1.59	

资料来源:赵新泉,彭勇行,2008.管理决策分析[M].2 版.北京:科学出版社.

计算一致性比率 $C.R.=\frac{C.I.}{R.I.}$。若结果为 0,则说明具有完全一致性;若结果在 0～1 之间,则可认为判断矩阵具有较好的一致性;若结果大于 1,则需要根据综合权重的一致性检验结果再做判断。

(4) 计算层次总排序的权重值。

整体一致性指标 $C.I.H.=\sum$ 各层级相对权重 $\times$ 各层级的 $C.I.$;

整体随机性指标 $R.I.H.=\sum$ 各层级相对权重 $\times$ 各层级的 $R.I.$;

整体一致性比率 $C.R.H.=\frac{C.I.H.}{R.I.H.}$。

当整体一致性比率小于 0.1 时,说明 IES 发展成熟度评价的指标总体权重具有较好的一致性,赋权有效。

2. 模糊综合评价

模糊综合评价(Fuzzy Synthetic Evaluation, FCE)是 1965 年美国加利福尼亚大学控制论学者、模糊数学之父卢特菲・扎德(Lotfi Zadeh)首先提出的,

它是用来解决边界模糊、不易量化的现实问题的综合测度方法。其评价原理如下(具体步骤详见6.2节):

(1) 确定评价对象的因素集(指标集合),设置评语(对各级因素的评价等级);

(2) 建立模糊综合评判矩阵,输入评价因素的权重向量;

(3) 用评价矩阵描述因素集和评价集的模糊关系,得出被评价对象对于特定评语的隶属程度;

(4) 进行综合评价合成,得出综合评价向量,经过归一化处理后得到对被评价对象的综合评价结果。

4.3.2 模型的应用优势

本研究将层次分析法和模糊综合评价融合设定为研究模型,是希望借鉴两种研究工具的优势形成互补,以便更好地完成评价。一方面,面对复杂的多因素、多层级问题,层次分析法能够通过快速分析系统结构,对因素之间的关联进行有序梳理,尤其在重要性判断环节,它能将评价者的主观经验量化,最终获得各评价指标的相对权重,信度较高,是一种科学有效的赋权方法;另一方面,本研究的指标数量多、部分指标较难量化且评判因素带有较大的模糊性,模糊综合评价提供了模糊统计法以解决定性指标量化问题,而隶属函数法则解决模糊因素评价问题,得出的模糊评价向量隶属于一个区间,而不是孤立的点值,便于同等级的被评价对象之间的比较。两者的结合运用降低了由于评价体系本身的复杂、模糊带来的不确定性,也避免了此类评价中常见的主观判断的过度介入,可操作性强。因此,我们选择这一融合形式作为IES发展成熟度评价的工作模型。

第 5 章
创新生态发展成熟度评价指标体系的构建

5.1 指标体系的设计思路

建构指标体系是对创新生态发展成熟度进行评价的基础,旨在测度一国发展创新生态的现实基础和实施能力。然而,目前对于创新生态系统的理论和实践评价研究仍处于起步初期的探索阶段,缺乏公认标准和分析样本,无法直接借鉴到本研究当中。为此,我们选择的工作思路是:一方面,从已有的创新生态系统相关文献中归纳出系统演化的共性要素和特点,并从中提炼具体指标;另一方面,通过专家咨询、标杆借鉴等方法,在二、三级指标的设置中引入成熟创新评价体系的指标,探索构建具有创新生态特色的评价指标体系。

设计工作的具体流程如下:在评价目标的基础上,首先设定评价体系的一级指标;其次对于二、三级的指标设计,运用逻辑分析方法,从文献和评价标杆中进行要素提炼,加以采纳后形成有效指标;最后整合形成完整的指标层级结构,借鉴层次分析法确定各级的指标权重。

5.2 指标的甄选原则、方法与流程

5.2.1 指标的甄选原则

1. 引领性和普适性相结合

广义的创新不仅包括新技术、新生产力的创造应用，还包括“推动现有生产模式改变”的一切行为(Kirchhoff, Phillips, 1988)。国家视野下评价创新，既要强调创新的国际引领力，聚焦前瞻性技术和重大科学成果的培育情况，确立比较标杆；又要理清创新和创业、治理结构优化、业态升级之间的关系，思考创新对于社会尤其是普通民众的现实意义，顺应新常态下社会对于国家创新战略的期待。两者的综合权衡还表现在总量和人均的关系处理上，总量指标能够反映国家创新活动的体量和全球贡献度，人均指标更能反映实际的创新生产力和民众获得度。在以往的研究中，单维度创新评价更倾向于总量考察，而综合的竞争力评价更关注人均水平数据，实际上只有将两者结合起来，才能较全面地代表该指标反映的真实情况。

2. 定量和定性相结合

国家创新生态评价是一个多层次、多目标的复杂议题，单纯的定量或定性指标无法涵盖全面评价的要求，需要统筹考虑。在了解每个创新维度的基础状况时，我们多选择定量指标刻画出大体轮廓，这也是传统国家创新评价的主流。

对于某一领域的深度解析，新领域、新现象的发展苗头和形势预判，以及体现主体和要素动态演化的关联性问题，则借助转化方法引入一些必需的定性指标，再将其量化为数据值，构成相对平衡的体系以完成复合式测度。定性指标的甄选借鉴了成熟的国家创新评价、新兴国家创新报告中的数据和技术方法，更有利于保证结果的权威性和客观性。

3. 前瞻性和现实性相结合

创新生态评价首先是现时的系统式监测，评判现有的各种外部条件是否能为创新活动提供有效支持。为了使评价体系紧跟创新发展趋势，现状描述之外，评价也需要发挥一定的前瞻性功能：对新涌现的创新组织形式及时回应，以及对原有评价因子的新变化适时调整。例如，信息通信技术的创新贡献度不只体现在产业属性和工具属性上，其本身发展衍生出的新形态为传统产业机构的组织模式创新提供了范本；新技术发展则推动创新资源的换代更新，也催生着具体评价标准的改进。以具体指标为例，在对网络连接速率要求更高的今天，宽带网络已上升为国家战略性基础设施，技术的成熟也让高速率低成本的梦想成为可能。因此，用更新的"连接速率"代替不久前的"网络接入率"指标更能真实地反映发达的信息网络对创新的意义。

4. 动态性和静态性相结合

在创新生态的理论框架下，整个国家创新是一个动态演化的共同体，具有不同竞争优势的主体通过向其他参与者学习或参与产业重组后的异质协同(Fukuda，Watanabe，2008)，发展自身的核心能力，实现自我增值。这种互补基础上的协作关系既能有效地应对外部环境的变化，也能使创新资源得到更有效率的释放和应用。在传统研究中，某项指标代表着一国在具体时间点上的创新选择和状态，体现静态特征；然而，通过生态系统固有的反馈功能，创新主体能根据实践效果不断校正、优化环境要素和自身，在长周期内保持创新发展的动态性和延续性。因此，新增加的动态性指标会更加注重描述创新群落中新生者的成长、创新对于产业形态和社会生态的改变。

5.2.2 指标的甄选方法

1. 文献研究法

创新生态系统作为一个独立的研究方向被确立不过数十年时间，国家创新生态系统的研究起步得更晚，至今仍主要停留在理论和概念阶段。虽然没有现成的、权威的评价和指标设计方法移植，但也可以通过重点文献中提出的国家创新生态的演化基础、要素条件以及展望的发展愿景、机制安排，结合当时当地的创新发展状态，寻找二、三级指标的设计灵感。这说明，文献研究不仅是国家创新生态系统理论梳理的基础，也是指标甄选的重要方法。

2. 专家咨询法

国家创新是一个全局性、社会性的命题，涉及各学科领域的方方面面，我们秉持着“跳出创新看创新”的理念，从2012年开始，充分利用中国科学技术大学、中国科学院、中国国家纳米中心、澳大利亚帕斯大学等机构多元化的人才资源和交叉的学科背景，组织社会学、管理学、传播学、行政学、生态学等各学科的专家围绕指标选取进行了数十次的论证探讨，最终确定了指标方案。这一过程使得创新生态的优越性和指标选择中的有效解决方案能够在多个领域的协同下显现出来，从而佐证“创新生态在当下语境中具有理论先进性和实践可行性”这一基本判断。

3. 标杆借鉴法

在本研究的文献综述部分，我们对目前国内外较成熟的创新评价体系做了概述和归纳，它们虽然不是评价创新生态系统的专门性方法，但不少针对创新生态的关键要素有着精细的论述，且指标设计逻辑严谨，测度方面接受了长期的实践检验，具有较高的信度和效度。在某些经典评价体系没有涉及的领域，我们从主要的全球(区域)性机构、政府间组织和各国的官方统计机构甄选出了符合测度要求的单项数据，将其提炼为三级指标。参考的主要经典评价体系如表 5.1 所示。

表 5.1　本研究指标甄选中参考的主要经典评价体系

经典评价体系	评价方	关键借鉴点
Global Competitiveness Report	世界经济论坛	对创新环境适宜性、基础设施完备性感知的定性指标测度
OECD Science, Technology and Industry Scoreboard	经济合作与发展组织	与科技、产业相关的定量指标测度
The Global Innovation Index	欧洲工商管理学院	趋于中微观层面的产业协同、信息化等领域的定性指标测度
世界银行数据库	世界银行	与经济、金融、贸易、民生相关的定量指标测度
UNESCO Data Center	联合国教科文组织	与教育、文化相关的定量指标测度

5.2.3　指标的甄选流程

本研究的指标甄选流程如图 5.1 所示。

对于最终入围的指标，本研究在选择与使用中始终遵循“合理”和“可用”两大标准。“合理”要求指标的提出符合逻辑推理和评价目的，且具有一定的普适

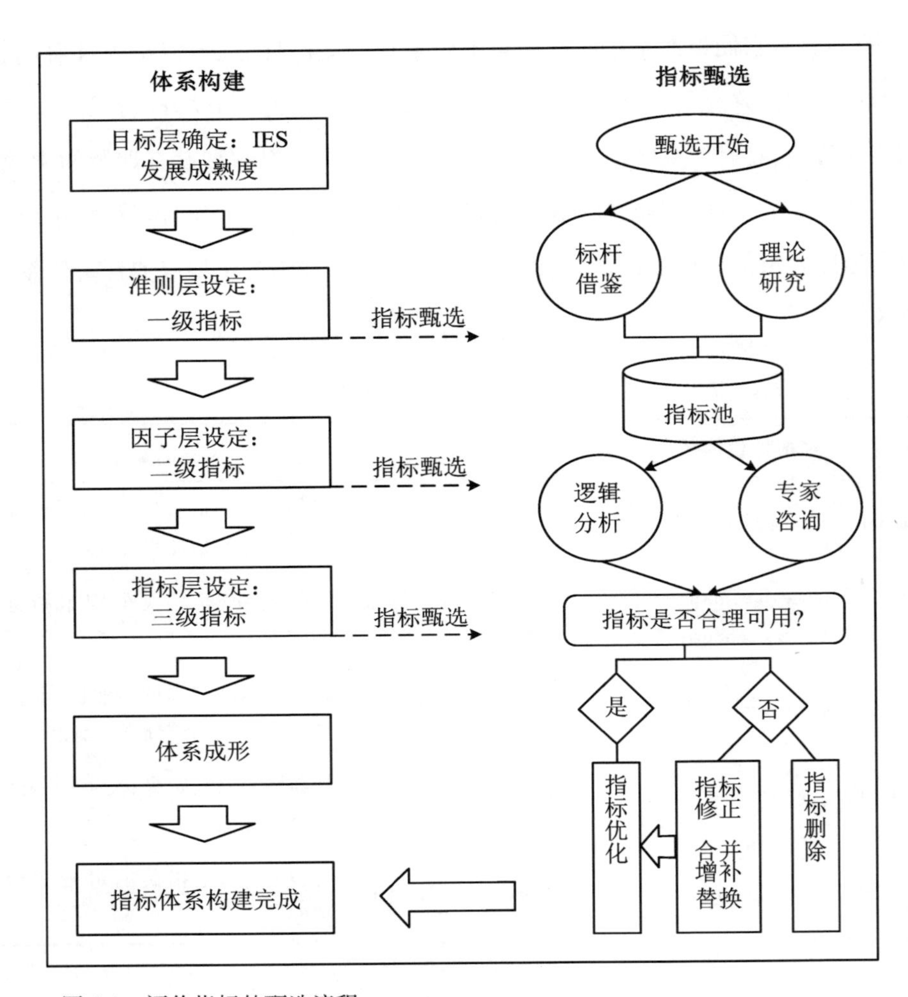

图 5.1 评价指标的甄选流程

价值；“可用”要求在主要国家中有实际数据上的可获得性，并且在时间上延续，便于对创新生态系统的发展趋势进行追踪。因此，前段剔除和中段修正的指标主要有两类：一类是由于某项指标已经不再符合创新测度的新发展，提供方停止更新数据；另一类是个别国家或机构仍有零散数据的发布，但缺乏统一尺度下的数据比较，导致实际评测价值感不强。针对这一问题，我们重新对不合适的指标进行了三轮全盘梳理，首先明确原指标的测评目的是什么，界定主要问题类型，以确定对指标的处理方式。对于确实无法保留的指标，我们从具有全球视野的创新排行榜、年度报告和行业专业报告中寻找替代指标，并对原有指标、替换原因制表进行了详细说明（见附录）。

5.3 评价指标体系的构成分析

5.3.1 指标体系结构

根据上述研究对创新生态的理解，在参照已有研究成果的基础上，我们从创新环境、创新机构、创新资源、创新人才和创新市场 5 个维度（一级指标）设计创新生态成熟度的评价指标体系，共形成 20 个二级指标、57 个三级指标。具体指标的选取既有依据创新实践的分析提炼，也有对已有评价体系中成熟指标的借鉴。我们对所有初选指标进行了细分、筛选和论证，考虑到后续的实证评价工作，结合实际数据的可获得情况最终确定了评价指标。如表 5.2 所示，本指标体系由目标层（A）、准则层（$B_1 \sim B_5$）、因子层（$C_1 \sim C_{20}$）和指标层共同构成。

表 5.2 IES 发展成熟度评价指标体系

目标层	准则层	因子层	指标层
IES 发展成熟度 A	创新环境 B_1	C_1 政策环境	知识产权保护程度
			法律框架内解决纠纷的效率
			政府决策透明度
		C_2 人文环境	人类发展指数
			公共教育支出占 GDP 的比重
			基尼系数
			人均每年读书数(本)
		C_3 生态环境	环境绩效指数
			单位能源消耗所创造的 GDP
			可再生能源发电能力
		C_4 风险环境	国防支出占 GDP 的比重
			长期主权信用评级
			国家风险指数
	创新机构 B_2	C_5 产业机构	ICT 服务出口占服务总出口的比重
			企业研发投入
		C_6 政府机构	企业研发税收补贴率
			R&D 经费支出中政府资金所占比例
		C_7 科研机构	全球前 400 名大学数量
			科研机构质量
		C_8 服务机构	全球前 150 名智库数量
			每百万平方千米科技园区数量
		C_9 机构合作	高校和政府部门研发活动中企业资助的比例
			集群发展状况
			合资、战略联盟协议情况

续表

目标层	准则层	因子层	指标层
IES发展成熟度A	创新资源B_3	C_{10} 创新经费	研究开发投入占 GDP 的比重
			百万人口知识产权使用费
			取得信用贷款的便利度
		C_{11} 知识基础	国际科技论文篇均被引用次数
			三方专利数
			国际前 2000 名机构知识库数量
		C_{12} 交通网络	国际客运吞吐前 100 名机场数量
			公路质量
		C_{13} 信息网络	政府在线服务
			网络连接速率
			B2C 电子商务使用情况
	创新人才B_4	C_{14} 人才分布	企业全职研究人员的比例
			每千名就业者中研究人员的数量
			高技能就业者的比例
		C_{15} 人才培育	高等教育毛入学率
			接受职业教育人次占劳动力总数的比例
			中等教育师生比(学生：教师)
		C_{16} 创新激情	信息通信技术在组织模式创新方面的作用
			大学毕业生创业的比例
			国际三方发明专利增长的比例
		C_{17} 人才流动	国际交流学生净流入值
			大学在校生留学增长率
			人才外流状况

续表

目标层	准则层	因子层	指标层
IES发展成熟度A	创新市场B_5	C_{18} 创新需求	风险投资成交额
			企业层面的技术吸收
			创业所需天数
		C_{19} 创新绩效	知识密集型服务业商标申请数占全部服务相关商标申请数的比例
			每千人拥有国际顶级域名数
			高科技产品出口占全部制造业出口的比例
		C_{20} 市场机制	贸易开放度
			反垄断政策有效性
			消费者成熟程度
			市场监管质量

5.3.2 指标释义和测度方法

如前所述，我们采取标准值比较的方法对指标体系中的因子层进行测度，通过将实际指标数值与标准值进行比较，计算出某项表现的实际得分。本部分对测度方法进行说明，并就其下属的各项指标对因子层本体的支持度做出阐释，得出的测度公式将作为各因子层指标得分的计算依据，为后文的标准值比较和分值换算服务。

1. 创新环境

创新环境是创新主体和非主体要素赖以生存的外部空间，也可理解为与创新相关的自然、社会关系总和。创新环境包罗万象，按照产生影响的范围可分为以下四类：

1）政策环境

（1）方法：定性研究。

（2）公式：

$$F_{C_1}=\left(\frac{f_{d1}}{G_{d1}}+\frac{f_{d2}}{G_{d2}}+\frac{f_{d3}}{G_{d3}}\right)/3\times 100$$

其中，F_{C_1} 表示政策环境值；f_{d1} 表示知识产权保护程度；f_{d2} 表示法律框架内解决纠纷的效率；f_{d3} 表示政府决策透明度；$G_{d1}\sim G_{d3}$ 分别表示指标 $d_1\sim d_3$ 的评价基准值。

（3）指标释义：

创新政策是对科技、产业等不同领域政策在创新层面的整合（Rothwell，2007），目的是鼓励创造与变化（鲍克，1994），提升整体竞争力；政策环境的营造直接影响到创新者的积极性，决定其产生效用的关键在于政府自身的民主、法制和效率程度，以及如何平衡好经济整体绩效与单部门知识技术创新的关系。

2）人文环境

（1）方法：定量、定性相结合。

（2）公式：

$$F_{C_2}=\left(\frac{f_{d4}}{G_{d4}}+\frac{f_{d5}}{G_{d5}}+\frac{G_{d6}}{f_{d6}}+\frac{f_{d7}}{G_{d7}}\right)/4\times 100$$

其中，F_{C_2} 表示人文环境值；f_{d4} 表示人类发展指数；f_{d5} 表示公共教育支出占 GDP 的比重；f_{d6} 表示基尼系数；f_{d7} 表示人均每年读书数（本）；$G_{d4}\sim G_{d7}$ 分别表示指标 $d_4\sim d_7$ 的评价基准值。

（3）指标释义：

人文环境代表创新的第一主体——人的生存条件和综合素养，包括对公民的寿命、教育、收入、消费、文化等生活基础状况的描述，从一个侧面也显示出一国政府发展人的全面能力的努力。

3）生态环境

（1）方法：定量、定性相结合。

（2）公式：

$$F_{C_3}=\left(\frac{f_{d8}}{G_{d8}}+\frac{f_{d9}}{G_{d9}}+\frac{f_{d10}}{G_{d10}}\right)/3\times 100$$

其中，F_{C_3} 表示生态环境值；f_{d8} 表示环境绩效指数；f_{d9} 表示单位能源消耗所创造的 GDP；f_{d10} 表示可再生能源发电能力；$G_{d8}\sim G_{d10}$ 分别表示指标 $d_8\sim d_{10}$ 的评价基准值。

（3）指标释义：

生态环境位于整个圈层环境的最外端，是人类社会与自然界直接接触、相互作用的场所，通过科技的力量减少能源消耗，提高资源利用率，促进生态良好和人类健康，人与自然建立共生的和谐关系，这是创新社会价值的体现。

4）风险环境

（1）方法：定量、定性相结合。

（2）公式：

$$F_{C_4}=\left(\frac{G_{d11}}{f_{d11}}+\frac{f_{d12}}{G_{d12}}+\frac{f_{d13}}{G_{d13}}\right)/3\times 100$$

其中，F_{C_4} 表示风险环境值；f_{d11} 表示国防支出占 GDP 的比重；f_{d12} 表示长期主权信用评级；f_{d13} 表示国家风险指数；$G_{d11}\sim G_{d13}$ 分别表示指标 $d_{11}\sim d_{13}$ 的评价基准值。

（3）指标释义：

风险环境是指政治局势、国防安全、经济形势、社会动荡、主权信用等可能引发损失因素的集合，风险环境养成是国家主权行为的结果，评价的则是国家决策层行使主权的能力和履行义务的意愿(李建平 等，2011)。

2. 创新机构

创新机构测度的是各组织主体实践创新及其有机协同的情况，尤其是对多元化社会创新组织和融合型创新主体的关注。

1）产业机构

（1）方法：定量研究。

（2）公式：

$$F_{C5}=\left(\frac{f_{d14}}{G_{d14}}+\frac{f_{d15}}{G_{d15}}\right)/2\times 100$$

其中，F_{C5} 表示产业机构值；f_{d14} 表示 ICT 服务出口占服务总出口的比重；f_{d15} 表示企业研发投入；G_{d14}、G_{d15} 分别表示指标 d_{14}、d_{15} 的评价基准值。

（3）指标释义：

产业机构是创新活动的首要主体，对其创新测度既包括高科技产业基于配套技术形成的创新模式，也包括传统产业融入创新价值链的尝试，考察的是研发投入和产出创新服务的情况。

2）政府机构

（1）方法：定量研究。

（2）公式：

$$F_{C6}=\left(\frac{f_{d16}}{G_{d16}}+\frac{f_{d17}}{G_{d17}}\right)/2\times 100$$

其中，F_{C6} 表示政府机构值；f_{d16} 表示企业研发税收补贴率；f_{d17} 表示 R&D 经费支出中政府资金所占比例；G_{d16}、G_{d17} 分别表示指标 d_{16}、d_{17} 的评价基准值。

（3）指标释义：

政府对于国家创新的意义在于导向性的引领作用和政策实际影响力，具体表现为支持创新者和消除创新阻碍，可通过对投入重大研究项目和出台创新优惠政策的观察进行评价。

3）科研机构

（1）方法：定量、定性相结合。

（2）公式：

$$F_{C_7}=\left(\frac{f_{d18}}{G_{d18}}+\frac{f_{d19}}{G_{d19}}\right)/2\times 100$$

其中，F_{C_7} 表示科研机构值；f_{d18} 表示全球前400名大学数量；f_{d19} 表示科研机构质量；G_{d18}、G_{d19} 分别表示指标 d_{18}、d_{19} 的评价基准值。

（3）指标释义：

科研和高等教育机构是一国基础研究能力和原始创新力的发祥地，其资源条件和战略地位决定了它在国家创新生态体系中不可忽视的作用。

4）服务机构

（1）方法：定量、定性相结合。

（2）公式：

$$F_{C_8}=\left(\frac{f_{d20}}{G_{d20}}+\frac{f_{d21}}{G_{d21}}\right)/2\times 100$$

其中，F_{C_8} 表示服务机构值；f_{d20} 表示全球前150名智库数量；f_{d21} 表示每百万平方千米科技园区数量；G_{d20}、G_{d21} 分别表示指标 d_{20}、d_{21} 的评价基准值。

（3）指标释义：

以智库、科技园区和各类创新孵化器为代表的服务机构通过资源整合和供需对接，帮助实现科技成果的快速转移、扩散。

5）机构合作

（1）方法：定量、定性相结合。

（2）公式：

$$F_{C9}=\left(\frac{f_{d22}}{G_{d22}}+\frac{f_{d23}}{G_{d23}}+\frac{f_{d24}}{G_{d24}}\right)/3\times 100$$

其中，F_{C9} 表示机构合作值；f_{d22} 表示高校和政府部门研发活动中企业资助的比例；f_{d23} 表示集群发展状况；f_{d24} 表示合资、战略联盟协议情况；$G_{d22}\sim G_{d24}$ 分别表示指标 $d_{22}\sim d_{24}$ 的评价基准值。

（3）指标释义：

各类机构要在生态系统中形成创新合力，机构合作是必然趋势。合作包括机构之间的技术转让、委托研究、项目资助等通量往来，或是由核心企业互通需求、传播知识，激发全产业链的集群创新；政府出于经济统筹需要，主导的“类平台”模式也是重要的组织形式（鲁若愚 等，2012），行政力量的介入协调能够增强合作进入市场的有效性。

3. 创新资源

创新资源为创新提供经济、信息支持和基础设施平台，是创新生态环境中的现实要素基础，也是支撑主体创造性思维和工作、满足快速学习和培养创新能力的必要条件，共分为创新经费、知识基础、交通网络和信息网络等四个分维度。

1）创新经费

（1）方法：定量、定性相结合。

（2）公式：

$$F_{C10}=\left(\frac{f_{d25}}{G_{d25}}+\frac{f_{d26}}{G_{d26}}+\frac{f_{d27}}{G_{d27}}\right)/3\times 100$$

其中，F_{C10} 表示创新经费值；f_{d25} 表示研究开发投入占 GDP 的比重；f_{d26} 表示百万人口知识产权使用费；f_{d27} 表示取得信用贷款的便利度；$G_{d25}\sim G_{d27}$ 分别表示

指标 $d_{25} \sim d_{27}$ 的评价基准值。

(3) 指标释义：

创新经费的测度分为两部分：一是用于支出的经费，统计创新支出(研发投入)在国家各项支出中的比重和人均使用情况；二是利用社会金融工具取得创新经费的便利程度。

2) 知识基础

(1) 方法：定量、定性相结合。

(2) 公式：

$$F_{C11} = \left(\frac{f_{d28}}{G_{d28}} + \frac{f_{d29}}{G_{d29}} + \frac{f_{d30}}{G_{d30}}\right) / 3 \times 100$$

其中，F_{C11} 表示知识基础值；f_{d28} 表示国际科技论文篇均被引用次数；f_{d29} 表示三方专利数；f_{d30} 表示国际前 2000 名机构知识库数量；$G_{d28} \sim G_{d30}$ 分别表示指标 $d_{28} \sim d_{30}$ 的评价基准值。

(3) 指标释义：

在复杂的创新网络中，知识基础呈现分布式(Distributed)的结构特点(Gibbons et al., 1994)，知识生产以物化或中间投入品的形式在不同的创新主体之间发生，形成基于科学的解析型知识(显性为主)和基于工程的综合型知识(隐性为主)(Asheim, Coenen, 2006)，它们为国家创新带来了各自不同的影响。

3) 交通网络

(1) 方法：定量、定性相结合。

(2) 公式：

$$F_{C12} = \left(\frac{f_{d31}}{G_{d31}} + \frac{f_{d32}}{G_{d32}}\right) / 2 \times 100$$

其中，F_{C12} 表示交通网络值；f_{d31} 表示国际客运吞吐前 100 名机场数量；f_{d32} 表示公路质量；G_{d31}、G_{d32} 分别表示指标 d_{31}、d_{32} 的评价基准值。

（3）指标释义：

交通网络的发达和便捷度彰显着一国的国际地位和对外交往能力，航空具有快速、远距离运输及高效益等特点，不论国家大小，客运吞吐量都能真实反映人员流动和机场繁忙的状况；国内公路的质量则包括等级公路的建造、维护和通达情况，代表了下辖各区域间一体化发展的水平。

4）信息网络

（1）方法：定量、定性相结合。

（2）公式：

$$F_{C13}=\left(\frac{f_{d33}}{G_{d33}}+\frac{f_{d34}}{G_{d34}}+\frac{f_{d35}}{G_{d35}}\right)/3\times 100$$

其中，F_{C13} 表示信息网络值；f_{d33} 表示政府在线服务；f_{d34} 表示网络连接速率；f_{d35} 表示 B2C 电子商务使用情况；$G_{d33}\sim G_{d35}$ 分别表示指标 $d_{33}\sim d_{35}$ 的评价基准值。

（3）指标释义：

信息网络主要测度国家以信息通信技术和互联网平台为工具，提升社会生产力和创新活力的效果。首先是政府自身的信息化建设，在线服务的普及将减少不必要的行政资源重叠浪费，也是简政放权、让利于民的先导。随着社会发展对基本、优质传输速度的要求，在对国家信息基础设施的投入方面，网络速率已取代接入率成为衡量标准。包括 B2C 模式在内的电子商务是信息技术和商业活动结合的产物，其对传统商业的变革已经超越了供应和交易，创新效应遍及物流、贸易、支付、金融等领域，反哺实体经济的作用巨大。

4. 创新人才

在创新生态的语境下，所有从事技术创新、知识创新和管理创新的主体，只要其创造性活动促进了客体的发展，就可称之为创新人才。人才是创新最重要的内生动力，为创新提供了社会意识基础，优化人才培育需要按照创新规律，促进人才的多元评价、合理流动、优化配置，营造包容失败、勇于探索的社会文化氛围，也需要建立起更具吸引力的人才引入和激励制度。

1）人才分布

（1）方法：定量、定性相结合。

（2）公式：

$$F_{C14}=\left[\left(\frac{f_{d36}}{G_{d36}}+\frac{f_{d38}}{G_{d38}}\right)/2+\frac{f_{d37}}{G_{d37}}\right]/2\times 100$$

其中，F_{C14} 表示人才分布值；f_{d36} 表示企业全职研究人员的比例；f_{d37} 表示每千名就业者中研究人员的数量；f_{d38} 表示高技能就业者的比例；$G_{d36}\sim G_{d38}$ 分别表示指标 $d_{36}\sim d_{38}$ 的评价基准值。

（3）指标释义：

在人才维度中，我们首先对社会职业构成中研究人员、高技能就业者的比例进行统计，从中可看出一国人力资源的总貌和人才培育的智能转向趋势。

2）人才培育

（1）方法：定量研究。

（2）公式：

$$F_{C15}=\left[\left(\frac{f_{d39}}{G_{d39}}+\frac{f_{d40}}{G_{d40}}\right)/2+\frac{G_{d41}}{f_{d41}}\right]/2\times 100$$

其中，F_{C15} 表示人才培育值；f_{d39} 表示高等教育毛入学率；f_{d40} 表示接受职业教育人次占劳动力总数的比例；f_{d41} 表示中等教育师生比（学生：教师）；$G_{d39}\sim G_{d41}$ 分别表示指标 $d_{39}\sim d_{41}$ 的评价基准值。

（3）指标释义：

对高等、职业、中等三个等级教育的评价采用了不同的介入视角，分别从入学率、比例构成和师生比的比较考察优质人力资源分布以及是否得到了合理配置。

3）创新激情

（1）方法：定量研究。

（2）公式：

$$F_{C16}=\left(\frac{f_{d42}}{G_{d42}}+\frac{f_{d43}}{G_{d43}}+\frac{f_{d44}}{G_{d44}}\right)/3\times 100$$

其中，F_{C16} 表示创新激情值；f_{d42} 表示信息通信技术在组织模式创新方面的作用；f_{d43} 表示大学毕业生创业的比例；f_{d44} 表示国际三方发明专利增长的比例；$G_{d42}\sim G_{d44}$ 分别表示指标 $d_{42}\sim d_{44}$ 的评价基准值。

（3）指标释义：

创新激情是个人或组织的创新氛围和文化，这种氛围促进了技术创新和个人创业，经过一定周期的积累后反过来影响主体行为，推动组织形态和管理实务创新，使得整个社会的创新创业成本降低，水平则不断提高。

4）人才流动

（1）方法：定量研究。

（2）公式：

$$F_{C17}=\left(\frac{f_{d45}}{G_{d45}}+\frac{f_{d46}}{G_{d46}}+\frac{f_{d47}}{G_{d47}}\right)/3\times 100$$

其中，F_{C17} 表示人才流动值；f_{d45} 表示国际交流学生净流入值；f_{d46} 表示大学在校生留学增长率；f_{d47} 表示人才外流状况；$G_{d45}\sim G_{d47}$ 分别表示指标 $d_{45}\sim d_{47}$ 的评价基准值。

（3）指标释义：

人才作为生产要素在全球范围内的自发流动已不鲜见，它代表着各国相互依赖、渗透的现状，流动是内部“推动型”因素（科研环境不佳、教育和就业机会匮乏等）和外部“拉动型”因素（更完善的工作和生活待遇、更好的社会经济条件等）共同作用的结果（Altbach，2004），发展中国家要想使人才在创新战略中发挥更大功效，须实现重视引进和鼓励输出的“内外循环”。

5. 创新市场

创新生态对市场的要求是开放和规范。“开放”是指同时面向需求和供给双方，思考创新对企业行为的变革式影响和效果，与以往的“投入观”有别，“需求观”注重多部门协作下的行业标准和规则制定、领先市场培育等工作，旨在促进市场吸收，推动来自需求侧的创新（Edler，Georghiou，2007）；“规范”是指在尊重市场精神的基础上，政府和社会为市场发展提供的制度性保障。

1）创新需求

（1）方法：定量、定性相结合。

（2）公式：

$$F_{C18}=\left(\frac{f_{d48}}{G_{d48}}+\frac{f_{d49}}{G_{d49}}+\frac{G_{d50}}{f_{d50}}\right)/3\times 100$$

其中，F_{C18} 表示创新需求值；f_{d48} 表示风险投资成交额；f_{d49} 表示企业层面的技术吸收；f_{d50} 表示创业所需天数；$G_{d48}\sim G_{d50}$ 分别表示指标 $d_{48}\sim d_{50}$ 的评价基准值。

（3）指标释义：

发展中的企业都有着扩大业务、扩展用户、完善已有功能和挖掘潜能等需求，而实现这些需求的途径多大程度上依赖于技术和管理创新，决定了创新对于企业的价值和意义。

2）创新绩效

（1）方法：定量研究。

（2）公式：

$$F_{C19}=\left[\left(\frac{f_{d51}}{G_{d51}}+\frac{f_{d53}}{G_{d53}}\right)/2+\frac{f_{d52}}{G_{d52}}\right]/2\times 100$$

其中，F_{C19} 表示创新绩效值；f_{d51} 表示知识密集型服务业商标申请数占全部服务相关商标申请数的比例；f_{d52} 表示每千人拥有国际顶级域名数；f_{d53} 表示高科技产品出口占全部制造业出口的比例；$G_{d51}\sim G_{d53}$ 分别表示指标 $d_{51}\sim d_{53}$ 的评价基准值。

（3）指标释义：

无论是风险投资、技术吸收，还是“草根”创业，都是以创新实践企业目标的必由路径。我们测度服务业商标和制造业出口中的创新比例来观察创新企业市场绩效的达成，并使用顶级域名拥有率反映互联网对企业组织、营销模式的嵌入效应。

3）市场机制

（1）方法：定性研究。

（2）公式：

$$F_{C20}=\left(\frac{f_{d54}}{G_{d54}}+\frac{f_{d55}}{G_{d55}}+\frac{f_{d56}}{G_{d56}}+\frac{f_{d57}}{G_{d57}}\right)/4\times 100$$

其中，F_{C20} 表示市场机制值；f_{d54} 表示贸易开放度；f_{d55} 表示反垄断政策有效性；f_{d56} 表示消费者成熟程度；f_{d57} 表示市场监管质量；$G_{d54}\sim G_{d57}$ 分别表示指标 $d_{54}\sim d_{57}$ 的评价基准值。

（3）指标释义：

创新作为有别于传统模式的国际竞争“新赛场”，需要“游戏规则”——市场机制的完善规范。适合的机制有助于市场发挥决定性作用，也能保障国家创新战略实施的实际效果。其下属的四个指标分别测度一国市场对创新基本要义（公平、开放、自由）的体现，以及在市场监管、反垄断等领域运用政策工具进行调控的有效性。

5.3.3 指标体系对创新生态系统特点的反映

1. 共生演化

主要体现在两个方面:一是创新主体与邻近的其他参与者建立起互动式的因果联系,组成层级互动的关联网络。“R&D 经费支出中政府资金所占比例”“高校和政府部门研发活动中企业资助的比例”“合资、战略联盟协议情况”等指标的选择都体现了这一思想。二是创新主体之间彼此开放创新过程,共享创新资源,资源维度中的“取得信用贷款的便利度”“国际前 2000 名机构知识库数量”都是各主体开放资源共享路径、盘活原本固化的创新要素结构的实例。

2. 平台构建

一方面,平台是创新要素的集成载体,以价值置换为主题,包括资源、人才、信息等要素条件都可以在其间自由流动,寻找与之匹配的创新机构主体,“百万人口知识产权使用费”“三方专利数”“人才外流状况”等指标都代表了平台中的要素活跃程度。另一方面,平台的网络效应促进多边供需关系的交织,更多提供补充型产品和服务的主体的进入进一步丰富了创新形态,“集群发展状况”“B2C 电子商务使用情况”“信息通信技术在组织模式创新方面的作用”分别从不同侧面测度了这种多元化的趋势。

3. 生态位隐喻

生态位具有联动特性,某个生态位发生变化会带动其他相应生态位状态的改变,这在环境维度中表现得尤为明显。“公共教育支出占 GDP 的比重”“环境绩效指数”“国家风险指数”等间接关联指标的变化会对 IES 主体产生联动效应,影响其未来的演化路径。为了避免不同生态位之间长期重叠造成的无序状态，根本的解决方法是对接和引入新资源，创造新的多元需求和创新节点，“可再生能源发电能力”“国际三方发明专利增长的比例”“风险投资成交额”等指标显示了新的能源利用方式、专利和投资模式被创造和引入，以满足日益增长的新需求。

4. 自组织性

自组织是在不断变化的系统演化中的主体特性和优势体现，从创新者进入使系统逐步脱离稳态开始，再到创新环境的完善、高度协作的网络联系建立，以及创新文化的协同和黏合。“国际交流学生净流入值”“大学毕业生创业的比例”“知识密集型服务业商标申请数占全部服务相关商标申请数的比例”代表了创新者的进入，“贸易开放度”“消费者成熟程度”和“反垄断政策有效性”“知识产权保护程度”分别代表了市场和政府完善创新环境的努力，“人均每年读书数(本)”“每千人拥有国际顶级域名数”“国际科技论文篇均被引用次数”则较好地印证了创新文化的形成和扩散。

5. 动态性

相比于以往国家创新评价注重静态创新成果存量评价的特点，国家创新生态评价将动态性与静态性结合起来，既遵循创新生态系统的动态演化属性，以环境营造和要素流动作为评价的主流，又充分考虑到对原有存量评价模式的借鉴和尊重。动态评价较多采用定性指标，重点分布在以下几个方面：① 创新机构从关联稀疏、彼此结构孤立到关联形成多重网络结构、互相介入对方创新进程的动态变化，如“高校和政府部门研发活动中企业资助的比例”“合资、战略联盟协议情况”；② 根据个体意愿和创新生态系统中的具体需求，创新人才作为要素条件自由流动的情况，如“大学在校生留学增长率”“人才外流状况”；③ 市场中创新需求和绩效的增长方向和变化趋势，如“企业层面的技术吸收”“每千人拥有国际顶级域名数”。以上述方式主导评价，不仅能展现出创新生态系统模式对原有社会结构和配置方式的撬动，体现其为国家创新带来的价值和活力，还能从庞大创新生态系统的细微节点上寻找有利于发育出成熟演化路径的做法，为下一步的归纳工作提供依据。

5.4 基于层次分析的指标赋权

由于本评价体系指标层指标数量较少，且彼此之间重要程度差别不大，因此我们采取平均赋权的方式设定该层权重。本部分主要是借助层次分析的赋权方法对准则层和因子层指标进行权重设定。

5.4.1 问题建构和设计层次结构模型

按照在5.3节中建构的评价指标体系，我们将指标赋权所要涉及的目标层、准则层和因子层的结构关系进行绘制，如图5.2所示。

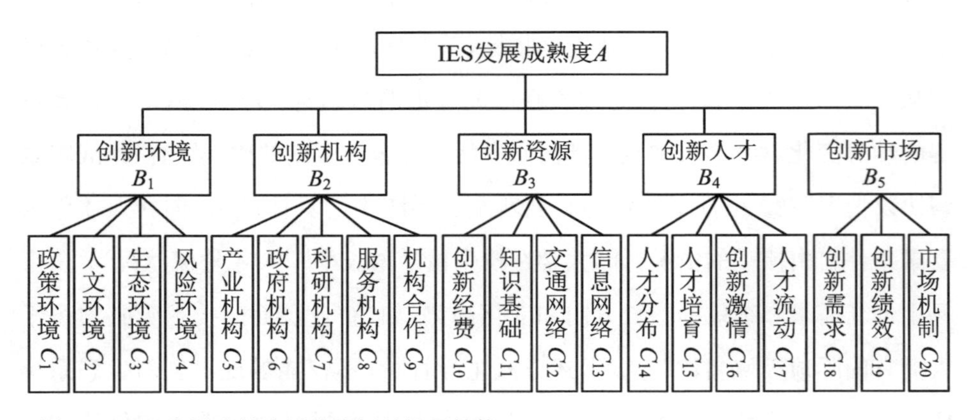

图5.2 IES发展成熟度评价指标的层级结构

5.4.2 单层次指标的赋权与检验

1. $\boldsymbol{B_1} \sim \boldsymbol{B_5}$ 的赋权和检验

(1) 综合考量构建 $B_1 \sim B_5$ 的判断矩阵和成对比较集

$$A = \begin{bmatrix} 1 & 2 & 2 & 1 & 2 \\ 1/2 & 1 & 1 & 1 & 2 \\ 1/2 & 1 & 1 & 1/2 & 1/2 \\ 1 & 1 & 2 & 1 & 2 \\ 1/2 & 1/2 & 2 & 1/2 & 1 \end{bmatrix}$$

IES 发展成熟度(A)下属指标成对比较如表 5.3 所示。

表 5.3 IES 发展成熟度(A)下属指标成对比较

	创新环境 B_1	创新机构 B_2	创新资源 B_3	创新人才 B_4	创新市场 B_5
创新环境 B_1	1	2	2	1	2
创新机构 B_2	1/2	1	1	1	2
创新资源 B_3	1/2	1	1	1/2	1/2
创新人才 B_4	1	1	2	1	2
创新市场 B_5	1/2	1/2	2	1/2	1

(2) 计算每行的乘积并求其 n 次方根:

$$\overline{W}_A=\begin{bmatrix}\overline{W}_{B1}\\\overline{W}_{B2}\\\overline{W}_{B3}\\\overline{W}_{B4}\\\overline{W}_{B5}\end{bmatrix}=\begin{bmatrix}\sqrt[5]{1\times2\times2\times1\times2}\\\sqrt[5]{\frac{1}{2}\times1\times1\times1\times2}\\\sqrt[5]{\frac{1}{2}\times1\times1\times\frac{1}{2}\times\frac{1}{2}}\\\sqrt[5]{1\times1\times2\times1\times2}\\\sqrt[5]{\frac{1}{2}\times\frac{1}{2}\times2\times\frac{1}{2}\times1}\end{bmatrix}=\begin{bmatrix}1.5157\\1.0000\\0.6598\\1.3195\\0.7579\end{bmatrix}$$

（3）通过归一化处理，得到 $B_1 \sim B_5$ 相对上层指标 A 的权重集 W_A：

$$W_A=\begin{bmatrix}W_{B1}\\W_{B2}\\W_{B3}\\W_{B4}\\W_{B5}\end{bmatrix}=\begin{bmatrix}\frac{1.5157}{1.5157+1+0.6598+1.3195+0.7579}\\\frac{1}{1.5157+1+0.6598+1.3195+0.7579}\\\frac{0.6598}{1.5157+1+0.6598+1.3195+0.7579}\\\frac{1.3195}{1.5157+1+0.6598+1.3195+0.7579}\\\frac{0.7579}{1.5157+1+0.6598+1.3195+0.7579}\end{bmatrix}=\begin{bmatrix}0.2885\\0.1904\\0.1256\\0.2512\\0.1443\end{bmatrix}$$

（4）对矩阵 A 进行一致性检验：

$$A\cdot W_A=\begin{bmatrix}(A\cdot W_A)_1\\(A\cdot W_A)_2\\(A\cdot W_A)_3\\(A\cdot W_A)_4\\(A\cdot W_A)_5\end{bmatrix}=\begin{bmatrix}1&2&2&1&2\\1/2&1&1&1&2\\1/2&1&1&1/2&1/2\\1&1&2&1&2\\1/2&1/2&2&1/2&1\end{bmatrix}\cdot\begin{bmatrix}0.2885\\0.1904\\0.1256\\0.2512\\0.1443\end{bmatrix}=\begin{bmatrix}1.46\\1.00\\0.66\\1.27\\0.76\end{bmatrix}$$

则 A 的最大特征根为

$$\lambda_{\max}=\sum_{i=1}^{n=5}\frac{(A\cdot W_A)_i}{nW_{Bi}}=5.1780$$

计算一致性指标 $C.I.=\frac{\lambda_{\max}-n}{n-1}=\frac{5.1780-5}{5-1}=0.0445$，查表可得，当 $n=5$ 时，$R.I.=1.12$，计算一致性比率 $C.R.=\frac{C.I.}{R.I.}=\frac{0.0445}{1.12}=0.0397<0.1$，所以矩阵 A 具有较好的一致性，赋权有效。

2. $C_1\sim C_4$ 的赋权和检验

（1）综合考量构建 $C_1\sim C_4$ 的判断矩阵和成对比较集

$$B_1=\begin{bmatrix}1 & 1 & 2 & 3\\ 1 & 1 & 2 & 2\\ 1/2 & 1/2 & 1 & 1\\ 1/3 & 1/2 & 1 & 1\end{bmatrix}$$

创新环境（B_1）下属指标成对比较如表 5.4 所示。

表 5.4　创新环境（B_1）下属指标成对比较

	政策环境 C_1	人文环境 C_2	生态环境 C_3	风险环境 C_4
政策环境 C_1	1	1	2	3
人文环境 C_2	1	1	2	2
生态环境 C_3	1/2	1/2	1	1
风险环境 C_4	1/3	1/2	1	1

（2）计算每行的乘积并求其 n 次方根：

$$\overline{W}_{B1}=\begin{bmatrix}\overline{W}_{C1}\\\overline{W}_{C2}\\\overline{W}_{C3}\\\overline{W}_{C4}\end{bmatrix}=\begin{bmatrix}\sqrt[4]{1\times1\times2\times3}\\\sqrt[4]{1\times1\times2\times2}\\\sqrt[4]{\frac{1}{2}\times\frac{1}{2}\times1\times1}\\\sqrt[4]{\frac{1}{3}\times\frac{1}{2}\times1\times1}\end{bmatrix}=\begin{bmatrix}1.5651\\1.4142\\0.7071\\0.6390\end{bmatrix}$$

(3) 通过归一化处理，得到 $C_1 \sim C_4$ 相对上层指标 B_1 的权重集 W_{B1}：

$$W_{B1}=\begin{bmatrix}W_{C1}\\W_{C2}\\W_{C3}\\W_{C4}\end{bmatrix}=\begin{bmatrix}\frac{1.5651}{1.5651+1.4142+0.7071+0.639}\\\frac{1.4142}{1.5651+1.4142+0.7071+0.639}\\\frac{0.7071}{1.5651+1.4142+0.7071+0.639}\\\frac{0.639}{1.5651+1.4142+0.7071+0.639}\end{bmatrix}=\begin{bmatrix}0.3618\\0.3270\\0.1635\\0.1477\end{bmatrix}$$

(4) 对矩阵 B_1 进行一致性检验：

$$B_1\cdot W_{B1}=\begin{bmatrix}(B_1\cdot W_{B1})_1\\(B_1\cdot W_{B1})_2\\(B_1\cdot W_{B1})_3\\(B_1\cdot W_{B1})_4\end{bmatrix}=\begin{bmatrix}1&1&2&3\\1&1&2&2\\1/2&1/2&1&1\\1/3&1/2&1&1\end{bmatrix}\cdot\begin{bmatrix}0.3618\\0.3270\\0.1635\\0.1477\end{bmatrix}=\begin{bmatrix}1.46\\1.31\\0.66\\0.60\end{bmatrix}$$

则 B_1 的最大特征根为

$$\lambda_{\max}=\sum_{i=1}^{n=4}\frac{(B_1\cdot W_{B1})_i}{nW_{C_i}}=4.0351$$

计算一致性指标 $C.I.=\frac{\lambda_{\max}-n}{n-1}=\frac{4.0351-4}{4-1}=0.0117$，查表可得，当 $n=4$ 时，$R.I.=0.89$，计算一致性比率 $C.R.=\frac{C.I.}{R.I.}=\frac{0.0117}{0.89}=0.0132<0.1$，所以矩阵

B_1 具有较好的一致性，赋权有效。

3. $C_5 \sim C_9$ 的赋权和检验

(1) 综合考量构建 $C_5 \sim C_9$ 的判断矩阵和成对比较集

$$B_2 = \begin{bmatrix} 1 & 2 & 1 & 3 & 2 \\ 1/2 & 1 & 1/2 & 1 & 1 \\ 1 & 2 & 1 & 1/2 & 1 \\ 1/3 & 1 & 2 & 1 & 1/2 \\ 1/2 & 1 & 1 & 2 & 1 \end{bmatrix}$$

创新机构(B_2)下属指标成对比较如表 5.5 所示。

表 5.5 创新机构(B_2)下属指标成对比较

	产业机构 C_5	政府机构 C_6	科研机构 C_7	服务机构 C_8	机构合作 C_9
产业机构 C_5	1	2	1	3	2
政府机构 C_6	1/2	1	1/2	1	1
科研机构 C_7	1	2	1	1/2	1
服务机构 C_8	1/3	1	2	1	1/2
机构合作 C_9	1/2	1	1	2	1

(2) 计算每行的乘积并求其 n 次方根：

$$\overline{W}_{B2} = \begin{bmatrix} \overline{W}_{C5} \\ \overline{W}_{C6} \\ \overline{W}_{C7} \\ \overline{W}_{C8} \\ \overline{W}_{C9} \end{bmatrix} = \begin{bmatrix} \sqrt[5]{1 \times 2 \times 1 \times 3 \times 2} \\ \sqrt[5]{\frac{1}{2} \times 1 \times \frac{1}{2} \times 1 \times 1} \\ \sqrt[5]{1 \times 2 \times 1 \times \frac{1}{2} \times 1} \\ \sqrt[5]{\frac{1}{3} \times 1 \times 2 \times 1 \times \frac{1}{2}} \\ \sqrt[5]{\frac{1}{2} \times 1 \times 1 \times 2 \times 1} \end{bmatrix} = \begin{bmatrix} 1.6438 \\ 0.7579 \\ 1.0000 \\ 0.8027 \\ 1.0000 \end{bmatrix}$$

（3）通过归一化处理，得到 $C_5 \sim C_9$ 相对上层指标 B_2 的权重集 W_{B2}：

$$W_{B2}=\begin{bmatrix} W_{C5} \\ W_{C6} \\ W_{C7} \\ W_{C8} \\ W_{C9} \end{bmatrix}=\begin{bmatrix} \frac{1.6438}{1.6438+0.7579+1+0.8027+1} \\ \frac{0.7579}{1.6438+0.7579+1+0.8027+1} \\ \frac{1}{1.6438+0.7579+1+0.8027+1} \\ \frac{0.8027}{1.6438+0.7579+1+0.8027+1} \\ \frac{1}{1.6438+0.7579+1+0.8027+1} \end{bmatrix}=\begin{bmatrix} 0.3158 \\ 0.1456 \\ 0.1921 \\ 0.1542 \\ 0.1921 \end{bmatrix}$$

（4）对矩阵 B_2 进行一致性检验：

$$B_2 \cdot W_{B2}=\begin{bmatrix} (B_2 \cdot W_{B2})_1 \\ (B_2 \cdot W_{B2})_2 \\ (B_2 \cdot W_{B2})_3 \\ (B_2 \cdot W_{B2})_4 \\ (B_2 \cdot W_{B2})_5 \end{bmatrix}=\begin{bmatrix} 1 & 2 & 1 & 3 & 2 \\ 1/2 & 1 & 1/2 & 1 & 1 \\ 1 & 2 & 1 & 1/2 & 1 \\ 1/3 & 1 & 2 & 1 & 1/2 \\ 1/2 & 1 & 1 & 2 & 1 \end{bmatrix} \cdot \begin{bmatrix} 0.3158 \\ 0.1456 \\ 0.1921 \\ 0.1542 \\ 0.1921 \end{bmatrix}=\begin{bmatrix} 1.65 \\ 0.75 \\ 1.07 \\ 0.89 \\ 1 \end{bmatrix}$$

则 B_2 的最大特征根为

$$\lambda_{\max}=\sum_{i=1}^{n=5} \frac{(B_2 \cdot W_{B2})_i}{n W_{C_{i+4}}}=5.3847$$

计算一致性指标 $C.I.=\frac{\lambda_{\max}-n}{n-1}=\frac{5.3847-5}{5-1}=0.0962$，查表可得，当 $n=5$ 时，$R.I.=1.12$，计算一致性比率 $C.R.=\frac{C.I.}{R.I.}=\frac{0.0962}{1.12}=0.0859<0.1$，所以矩阵 B_2 具有较好的一致性，赋权有效。

4. $C_{10} \sim C_{13}$ 的赋权和检验

（1）综合考量构建 $C_{10} \sim C_{13}$ 的判断矩阵和成对比较集

$$B_3=\begin{bmatrix}1 & 1 & 3 & 2\\ 1 & 1 & 2 & 1\\ 1/3 & 1/2 & 1 & 1/2\\ 1/2 & 1 & 2 & 1\end{bmatrix}$$

创新资源(B_3)下属指标成对比较如表 5.6 所示。

表 5.6　创新资源(B_3)下属指标成对比较

	创新经费 C_{10}	知识基础 C_{11}	交通网络 C_{12}	信息网络 C_{13}
创新经费 C_{10}	1	1	3	2
知识基础 C_{11}	1	1	2	1
交通网络 C_{12}	1/3	1/2	1	1/2
信息网络 C_{13}	1/2	1	2	1

(2) 计算每行的乘积并求其 n 次方根:

$$\overline{W}_{B3}=\begin{bmatrix}\overline{W}_{C10}\\ \overline{W}_{C11}\\ \overline{W}_{C12}\\ \overline{W}_{C13}\end{bmatrix}=\begin{bmatrix}\sqrt[4]{1\times 1\times 3\times 2}\\ \sqrt[4]{1\times 1\times 2\times 1}\\ \sqrt[4]{\frac{1}{3}\times\frac{1}{2}\times 1\times\frac{1}{2}}\\ \sqrt[4]{\frac{1}{2}\times 1\times 2\times 1}\end{bmatrix}=\begin{bmatrix}1.5651\\ 1.1892\\ 0.5372\\ 1.0000\end{bmatrix}$$

(3) 通过归一化处理,得到 $C_{10}\sim C_{13}$ 相对上层指标 B_3 的权重集 W_{B3}:

$$W_{B_3}=\begin{bmatrix}W_{C_{10}}\\W_{C_{11}}\\W_{C_{12}}\\W_{C_{13}}\end{bmatrix}=\begin{bmatrix}\dfrac{1.5651}{1.5651+1.1892+0.5372+1}\\\dfrac{1.1892}{1.5651+1.1892+0.5372+1}\\\dfrac{0.5372}{1.5651+1.1892+0.5372+1}\\\dfrac{1}{1.5651+1.1892+0.5372+1}\end{bmatrix}=\begin{bmatrix}0.3647\\0.2771\\0.1252\\0.2330\end{bmatrix}$$

（4）对矩阵 B_3 进行一致性检验：

$$B_3\cdot W_{B_3}=\begin{bmatrix}(B_3\cdot W_{B_3})_1\\(B_3\cdot W_{B_3})_2\\(B_3\cdot W_{B_3})_3\\(B_3\cdot W_{B_3})_4\end{bmatrix}=\begin{bmatrix}1&1&3&2\\1&1&2&1\\1/3&1/2&1&1/2\\1/2&1&2&1\end{bmatrix}\cdot\begin{bmatrix}0.3647\\0.2771\\0.1252\\0.2330\end{bmatrix}=\begin{bmatrix}1.48\\1.13\\0.50\\0.94\end{bmatrix}$$

则 B_3 的最大特征根为

$$\lambda_{\max}=\sum_{i=1}^{n=4}\frac{(B_3\cdot W_{B_3})_i}{nW_{C_{i+9}}}=4.0410$$

计算一致性指标 $C.I.=\dfrac{\lambda_{\max}-n}{n-1}=\dfrac{4.0410-4}{4-1}=0.0137$，查表可得，当 $n=4$ 时，$R.I.=0.89$，计算一致性比率 $C.R.=\dfrac{C.I.}{R.I.}=\dfrac{0.0137}{0.89}=0.0154<0.1$，矩阵 B_3 具有较好的一致性，赋权有效。

5. $C_{14}\sim C_{17}$ 的赋权和检验

（1）综合考量构建 $C_{14}\sim C_{17}$ 的判断矩阵和成对比较集

$$B_4=\begin{bmatrix}1&1/2&1/3&1\\2&1&2&2\\3&1/2&1&1\\1&1/2&1&1\end{bmatrix}$$

创新人才(B_4)下属指标成对比较如表 5.7 所示。

表 5.7　创新人才(B_4)下属指标成对比较

	人才分布 C_{14}	人才培育 C_{15}	创新激情 C_{16}	人才流动 C_{17}
人才分布 C_{14}	1	1/2	1/3	1
人才培育 C_{15}	2	1	2	2
创新激情 C_{16}	3	1/2	1	1
人才流动 C_{17}	1	1/2	1	1

(2) 计算每行的乘积并求其 n 次方根:

$$\overline{W}_{B_4}=\begin{bmatrix}\overline{W}_{C_{14}}\\\overline{W}_{C_{15}}\\\overline{W}_{C_{16}}\\\overline{W}_{C_{17}}\end{bmatrix}=\begin{bmatrix}\sqrt[4]{1\times\frac{1}{2}\times\frac{1}{3}\times 1}\\\sqrt[4]{2\times 1\times 2\times 2}\\\sqrt[4]{3\times\frac{1}{2}\times 1\times 1}\\\sqrt[4]{1\times\frac{1}{2}\times 1\times 1}\end{bmatrix}=\begin{bmatrix}0.6390\\1.6818\\1.1067\\0.8409\end{bmatrix}$$

(3) 通过归一化处理,得到 $C_{14}\sim C_{17}$ 相对上层指标 B_4 的权重集 W_{B_4}:

$$W_{B_4}=\begin{bmatrix}W_{C_{14}}\\W_{C_{15}}\\W_{C_{16}}\\W_{C_{17}}\end{bmatrix}=\begin{bmatrix}\frac{0.639}{0.639+1.6818+1.1067+0.8409}\\\frac{1.6818}{0.639+1.6818+1.1067+0.8409}\\\frac{1.1067}{0.639+1.6818+1.1067+0.8409}\\\frac{0.8409}{0.639+1.6818+1.1067+0.8409}\end{bmatrix}=\begin{bmatrix}0.1497\\0.3940\\0.2593\\0.1970\end{bmatrix}$$

(4) 对矩阵 B_4 进行一致性检验：

$$B_4 \cdot W_{B_4}=\begin{bmatrix}(B_4 \cdot W_{B_4})_1\\(B_4 \cdot W_{B_4})_2\\(B_4 \cdot W_{B_4})_3\\(B_4 \cdot W_{B_4})_4\end{bmatrix}=\begin{bmatrix}1 & 1/2 & 1/3 & 1\\2 & 1 & 2 & 2\\3 & 1/2 & 1 & 1\\1 & 1/2 & 1 & 1\end{bmatrix}\cdot\begin{bmatrix}0.1497\\0.3940\\0.2593\\0.1970\end{bmatrix}=\begin{bmatrix}0.63\\1.61\\1.10\\0.80\end{bmatrix}$$

则 B_4 的最大特征根为

$$\lambda_{\max}=\sum_{i=1}^{n=4}\frac{(B_4 \cdot W_{B_4})_i}{nW_{C_{i+13}}}=4.1495$$

计算一致性指标 $C.I.=\frac{\lambda_{\max}-n}{n-1}=\frac{4.1495-4}{4-1}=0.0498$，查表可得，当 $n=4$ 时，$R.I.=0.89$，计算一致性比率 $C.R.=\frac{C.I.}{R.I.}=\frac{0.0498}{0.89}=0.0560<0.1$，所以矩阵 B_4 具有较好的一致性，赋权有效。

6. $C_{18}\sim C_{20}$ 的赋权和检验

(1) 综合考量构建 $C_{18}\sim C_{20}$ 的判断矩阵和成对比较集

$$B_5=\begin{bmatrix}1 & 2 & 1/2\\1/2 & 1 & 1/2\\2 & 2 & 1\end{bmatrix}$$

创新市场(B_5)下属指标成对比较如表5.8所示。

表5.8 创新市场(B_5)下属指标成对比较

	创新需求 C_{18}	创新绩效 C_{19}	市场机制 C_{20}
创新需求 C_{18}	1	2	1/2
创新绩效 C_{19}	1/2	1	1/2
市场机制 C_{20}	2	2	1

（2）计算每行的乘积并求其 n 次方根：

$$\overline{W}_{B5}=\begin{bmatrix}\overline{W}_{C18}\\ \overline{W}_{C19}\\ \overline{W}_{C20}\end{bmatrix}=\begin{bmatrix}\sqrt[3]{1\times 2\times \frac{1}{2}}\\ \sqrt[3]{\frac{1}{2}\times 1\times \frac{1}{2}}\\ \sqrt[3]{2\times 2\times 1}\end{bmatrix}=\begin{bmatrix}1.0000\\ 0.6300\\ 1.5874\end{bmatrix}$$

（3）通过归一化处理，得到 $C_{18}\sim C_{20}$ 相对上层指标 B_5 的权重集 W_{B5}：

$$W_{B5}=\begin{bmatrix}W_{C18}\\ W_{C19}\\ W_{C20}\end{bmatrix}=\begin{bmatrix}\frac{1}{1+0.63+1.5874}\\ \frac{0.63}{1+0.63+1.5874}\\ \frac{1.5874}{1+0.63+1.5874}\end{bmatrix}=\begin{bmatrix}0.3108\\ 0.1958\\ 0.4934\end{bmatrix}$$

（4）对矩阵 B_5 进行一致性检验：

$$B_5\cdot W_{B5}=\begin{bmatrix}(B_5\cdot W_{B5})_1\\ (B_5\cdot W_{B5})_2\\ (B_5\cdot W_{B5})_3\end{bmatrix}=\begin{bmatrix}1 & 2 & 1/2\\ 1/2 & 1 & 1/2\\ 2 & 2 & 1\end{bmatrix}\cdot\begin{bmatrix}0.3108\\ 0.1958\\ 0.4934\end{bmatrix}=\begin{bmatrix}0.95\\ 0.60\\ 1.51\end{bmatrix}$$

则 B_5 的最大特征根为

$$\lambda_{\max}=\sum_{i=1}^{n=3}\frac{(B_5\cdot W_{B5})_i}{nW_{C_{i+17}}}=3.0605$$

计算一致性指标 $C.I.=\frac{\lambda_{\max}-n}{n-1}=\frac{3.0605-3}{3-1}=0.0303$，查表可得，当 $n=3$ 时，$R.I.=0.52$，计算一致性比率 $C.R.=\frac{C.I.}{R.I.}=\frac{0.0303}{0.52}=0.0583<0.1$，所以矩阵 B_5 具有较好的一致性，赋权有效。

将各指标 $C_1 \sim C_{20}$ 对整体评价目标 A 的综合权重进行归纳，如表 5.9 所示。

表 5.9 准则、因子层评价指标权重汇总表

目标	准则	权重	因子层	权重
IES发展成熟度 A	创新环境 B_1	0.2885	政策环境 C_1	0.3618
			人文环境 C_2	0.3270
			生态环境 C_3	0.1635
			风险环境 C_4	0.1477
	创新机构 B_2	0.1904	产业机构 C_5	0.3158
			政府机构 C_6	0.1456
			科研机构 C_7	0.1921
			服务机构 C_8	0.1542
			机构合作 C_9	0.1921
	创新资源 B_3	0.1256	创新经费 C_{10}	0.3647
			知识基础 C_{11}	0.2771
			交通网络 C_{12}	0.1252
			信息网络 C_{13}	0.2330
	创新人才 B_4	0.2512	人才分布 C_{14}	0.1497
			人才培育 C_{15}	0.3940
			创新激情 C_{16}	0.2593
			人才流动 C_{17}	0.1970
	创新市场 B_5	0.1443	创新需求 C_{18}	0.3108
			创新绩效 C_{19}	0.1958
			市场机制 C_{20}	0.4934

5.4.3 整体赋权与检验

$$C.I.H.=\sum(\text{各层级相对权重})\times(\text{各层级的 }C.I.)$$
$$=0.2885\times0.0117+0.1904\times0.0962+0.1256\times0.0137$$
$$+0.2512\times0.0498+0.1443\times0.0303$$
$$=0.0034+0.0183+0.0017+0.0125+0.0044$$
$$=0.0403$$

$$R.I.H.=\sum(\text{各层级相对权重})\times(\text{各层级的 }R.I.)$$
$$=0.2885\times0.89+0.1904\times1.12+0.1256\times0.89$$
$$+0.2512\times0.89+0.1443\times0.52$$
$$=0.2568+0.2132+0.1118+0.2236+0.0750$$
$$=0.8804$$

$$C.R.H.=\frac{C.I.H.}{R.I.H.}=\frac{0.0403}{0.8804}=0.0458<0.1$$

检验结果说明整体指标体系的赋权具有良好的一致性，赋权有效。

第 6 章
创新生态发展成熟度的模糊评价模型设计

6.1 指标数据的采集处理

6.1.1 样本的选取

本研究尝试设计国家创新生态发展的具体标准和评测方法，希望能为评价中国在某个时期的创新生态系统发展基础、所处阶段、真实状况提供操作性工具，并通过评测结果对其未来发展走向做出前瞻性预测。在实证阶段，我们选择在全球创新发展上较具代表性的美国、德国作为中国的比较样本，进行同一年度三国数据的横向测度。

美国是目前世界的创新高地，不仅基础研究和科技应用水平处于引领位置，创新与产业业态和社会生态的结合也堪称典范：硅谷、奥尔巴尼等高科技集聚区成为创业者的摇篮，谷歌、苹果、微软、Facebook、特斯拉等创新型公司从默默无闻的小企业跃升为全球行业标准的制定者。身处区域经济共同体欧盟，德国的国家创新活动结合传统文化中的工匠精神、产权意识和优秀的工业制造技能，构造了一个自组织性极强的创新生态，中小企业以创新为命脉，对产品品质的苛求和对知识专利的保护举世罕见。研究并测度以上两国的创新生态系统总体战略和细节表现，对正处于结构转型期、希望通过创新驱动发展的中国具有很现实的借鉴意义。

6.1.2 指标数据采集

依据指标采集方式的差异，我们将所有指标分为定量指标和定性指标两类。定量指标多来源于传统创新评价体系，也有一些社会性指标来自于本国和国际组织的统计机构。我们选取那些已被实践证明有效性较高的经典指标，来表现创新生态中能够被定量描述的部分。定性指标多取自一些创新型的研究咨询机构、智库近年来发布的主观评价体系和全球商界领袖、高管的意见调查，也有一些来源于新兴产业行业年度报告的专业指标，它们能够补充定量指标的不足，更好地刻画国家创新生态系统的总体趋势和主体的生存状态。

6.1.3 数据无量纲化

无量纲化是模糊综合评价中为了消除各指标的原始数据背后的不同计量单位给评估带来的影响，而设置的一个通用指标评分方法，通过原始数据与设定基准值的比较换算而获得。设 F_{d_i} 为指标评价的最终分值，f_{d_i} 为指标评价的原始数值，G_{d_i} 为指标评价的基准值。具体操作流程要考虑到两者比较的三种情形：

（1）当指标数值越大越优时，$F_{d_i}=f_{d_i}/G_{d_i}\times 100$。

（2）当指标数值越小越优时，$F_{d_i}=G_{d_i}/f_{d_i}\times 100$。

(3) 当指标具有最佳状态值，即指标数值最优集中时：

若 $f_{d_i} < G_{d_i}$，则 $F_{d_i} = f_{d_i} \times 100$；

若 $f_{d_i} > G_{d_i}$，则 $F_{d_i} = -\frac{100}{9} f_{d_i} + \frac{9}{1000}$；

若 $f_{d_i} = G_{d_i}$，则 $F_{d_i} = 100$。

6.1.4 评价基准值设置

要了解各国创新生态的成熟情况，需要以同一标准为各项评价指标设定基准值，作为其数值高低裁定的标杆，为该数值代表的指标发展水平提供有依据的参照。值得注意的是，设置的基准值是各国通过一个时期的努力可以达到的实际指标水平，而并非理论意义上的机械值。基准值的设定需要兼顾以下三种情况：

(1) 若指标 C_i 与已有的成熟评价体系中的指标相同，则采用原有评价体系中对该指标设定的基准值；

(2) 若指标 C_i 在已有研究或公共领域的讨论中具有理论上的或公认的基准值，则可在考虑到本研究具体特征的前提下予以采纳；

(3) 若指标 C_i 皆不符合以上两种情况，则将参照主要创新型国家的现实数据，通过测算确定基准值。

综上所述，创新生态系统发展成熟度的标准值及设定依据如表 6.1 所示。

表 6.1　IES 发展成熟度评价指标基准值

编号	评价指标	类型/单位	评价基准值	设定依据
准则层 B_1：创新环境 因子层 C_1：政策环境				
G_{d1}	知识产权保护程度	数值	6.3	当年度全球国家最高值(Finland)
G_{d2}	法律框架内解决纠纷的效率	数值	6.2	当年度全球国家最高值(Singapore)
G_{d3}	政府决策透明度	数值	6.2	当年度全球国家最高值(Singapore)
因子层 C_2：人文环境				
G_{d4}	人类发展指数	数值	0.955	当年度全球国家最高值(Norway)
G_{d5}	公共教育支出占 GDP 的比重	%	8.7	当年度"高人类发展指数国家"中最高值①(Denmark)
G_{d6}	基尼系数	数值	0.2	联合国标准值②
G_{d7}	人均年读书数(本)	数值	20	IES 评价基准值

① 2012 年的统计表明，莱索托(13.0%)和古巴(12.9%)在所有国家中比例最高，但出于国家、民众发展水平与教育支出之间匹配度的考量，我们选择在"高人类发展指数国家"群体中比例最高的丹麦(8.7%)作为标杆样本。

② 联合国将基尼系数低于 0.2 的国家划归"收入绝对平均"行列，0.2～0.3 为"收入比较平均"，0.3～0.4 为"收入相对合理"，0.4 是基尼系数的"警戒线"，该数值以上被视为评价对象收入差距较大，因此本研究选择 0.2 作为标杆值，记作 100 分。

续表

编号	评价指标	类型/单位	评价基准值	设定依据
因子层 C_3:生态环境				
G_{d8}	环境绩效指数	数值	87.67	当年度全球国家最高值(Switzerland)
G_{d9}	单位能源消耗所创造的GDP①	数值	17.1	当年度全球国家最高值(Switzerland)
G_{d10}	可再生能源发电能力②	GW③	90	当年度全球国家最高值(China)
因子层 C_4:风险环境				
G_{d11}	国防支出占GDP的比重	%	1.2	IES评价基准值
G_{d12}	长期主权信用评级④	评级	AAA+	主权信用最高级
G_{d13}	国家风险指数	数值	100	指数计算满分值⑤

① 指每千克石油当量的能源消耗所产生的按照购买力平价(Purchasing Power Parity)计算的GDP。

② 此处的可再生能源(Renewable Energy)统计口径为包括生物能、地热能、潮汐能、太阳能光伏、聚光太阳能和风能在内的一切能源类型(不包括水力发电产生的能源)。

③ 电功率单位,1 GW=1×10^6 kW。

④ 标准普尔按照主权信用高低将其分为投资级和投机级两类,其中大多数国家评级结果聚集于投资级的"AAA""AA""A""BBB"序列中(每个序列又可用"+"或"-"表示相对信用高低),本研究将投资级的"AAA+"设置为标杆值,计作100分,"BBB"设为60分,以此类推得出具体得分。

⑤ Political Risk Services对国家风险的计算公式:$CPFER(\text{Country X})=0.5(PR+FR+ER)$,其中$CPFER$代表X国综合风险指数,$PR$代表全部政治风险指数,$FR$代表全部金融风险指数,$ER$代表全部经济风险指数,它们的最高分值比为100∶50∶50,分值为满分100时,表明国家风险值最低。

续表

编号	评价指标	类型/单位	评价基准值	设定依据
准则层 B_2:创新机构 因子层 C_5:产业机构				
G_{d14}	ICT 服务出口占服务总出口的比重①	%	66.3	当年度全球国家最高值(Ireland)
G_{d15}	企业研发投入	数值	5.9	当年度全球国家最高值(Switzerland)
因子层 C_6:政府机构				
G_{d16}	企业研发税收补贴率②	%	0.6	当年度全球国家最高值(Portugal)
G_{d17}	R&D 经费支出中政府资金所占比例	%	20	IES 评价基准值
因子层 C_7:科研机构				
G_{d18}	全球前 400 名大学数量	数值	109	当年度全球国家最高值(United States)
G_{d19}	科研机构质量	数值	6.3	当年度全球国家最高值(Israel)

---

① 世界银行对 ICT(Information and Communication Technology)服务的定义:计算机和通信服务(邮政、速递、电信业务),以及信息服务(与计算机数据和信息相关的服务交易)。

② 计算公式:$1-B_{\text{index}}$,其中 $B_{\text{index}}=(1-A)/(1-t)$,$A$ 为研发支出所能享有的税收优惠(如折旧免税、税款扣除、特别折让)的比例,t 为法定的公司所得税税率。若某项研发支出享有的税收优惠越丰厚,B_{index}的值就越小,$1-B_{\text{index}}$的结果就越大。当 $1-B_{\text{index}}$ 为正、负值时,分别表示该项研发支出享有的税收补贴和承担的税收负担。

续表

编号	评价指标	类型/单位	评价基准值	设定依据
因子层 C_8:服务机构				
G_{d20}	全球前150名智库数量	数值	12	当年度全球国家最高值(United Kingdom & Germany)
G_{d21}	每百万平方千米科技园区数量	数值	0.4	IES评价基准值
因子层 C_9:机构合作				
G_{d22}	高校和政府部门研发活动中企业资助的比例	%	14.65	当年度OECD统计最高值(Russia)
G_{d23}	集群发展状况①	数值	71.12	当年度全球国家最高值(Finland)
G_{d24}	合资、战略联盟协议情况	数值	100	当年度全球国家最高值(Bahrain等五国)
准则层 B_3:创新资源 因子层 C_{10}:创新经费				
G_{d25}	研究开发投入占GDP的比重	%	4.247	当年度全球国家最高值(Israel)
G_{d26}	百万人口知识产权使用费	数值	1.34亿	当年度全球国家最高值(Ireland)

① 此处对集群(Cluster)概念的具体解释为:在特定领域内,产品和服务上相互关联的企业、供应商和生产商等专门机构的地缘集聚。

续表

编号	评价指标	类型/单位	评价基准值	设定依据
G_{d27}	取得信用贷款的便利度①	数值	100	当年度全球国家最高值（Malaysia 等三国）
	因子层 C_{11}：知识基础			
G_{d28}	国际科技论文篇均被引用次数	数值	17.21	当年度全球国家最高值②（Switzerland）
G_{d29}	三方专利数	数值	163.59 亿	IES 评价基准值
G_{d30}	国际前 2000 名机构知识库数量③	数值	200	IES 评价基准值
	因子层 C_{12}：交通网络			
G_{d31}	国际客运吞吐前 100 名机场数量	数值	27	当年度全球国家最高值（United States）

---

① GII 对各国的便利度情况进行了百分制赋值，将得分最高的马来西亚、南非和英国设定为满分 100，以此为参照给其他国家评分，本研究沿用了这一方法。

② 本项指标的统计口径为一段时间内总被引用次数和总论文数的比值，而非按照各自然年份的数据进行统计，此处的统计区间为 2003～2013 年。

③ 西班牙赛博计量学实验室(Cybermetrics Lab)对全球开放获取的机构知识库进行了梳理统计，并按照(1) 规模(10%)——谷歌搜索该机构网页链接的总数；(2) 可见性(50%)——网络供应商 Majestic SEO 和 ahrefs 提供的网域数量和外部反向链接数的总和；(3) 文件格式丰富度(10%)——谷歌搜索到的 pdf，doc+docx，ppt+pptx，ps & eps 等文件格式总和；(4)学术(10%)——谷歌学术搜索中该机构论文数量的标准值对全球机构知识库进行赋权和排名。由于统计为不定期即时更新，本研究的数据统计截至 2014 年 7 月。

续表

编号	评价指标	类型/单位	评价基准值	设定依据
G_{d32}	公路质量	数值	6.5	当年度全球国家最高值（France 等三国）
因子层 C_{13}：信息网络				
G_{d33}	政府在线服务	数值	100	当年度全球国家最高值（United States 等三国）
G_{d34}	网络连接速率	数值	9644	当季度全球国家最高值①（North Korea）
G_{d35}	B2C 电子商务使用情况	数值	6.3	当年度全球国家最高值（United Kingdom & South Korea）
准则层 B_4：创新人才 因子层 C_{14}：人才分布				
G_{d36}	企业全职研究人员的比例	%	89.6	当年度全球国家最高值（Israel）
G_{d37}	每千名就业者中研究人员的数量	数值	17.44	当年度全球国家最高值（Israel）
G_{d38}	高技能就业者的比例②	%	59.6	当年度全球国家最高值（Switzerland）

① 由于 Akamai 对全球网络质量的报告为每季度发布，因此选择 2013 年第 1 季度的数据作为研究对象。

② THCR 对高技能就业者比例的定义为“职位要求为高等教育的就业人数占就业总人数的比例”。

续表

编号	评价指标	类型/单位	评价基准值	设定依据
因子层 C_{15}:人才培育				
G_{d39}	高等教育毛入学率①	%	50	IES 评价基准值②
G_{d40}	接受职业教育人次占劳动力总数的比例③	%	15	IES 评价基准值
G_{d41}	中等教育师生比(学生∶教师)	%	9.3	当年度国家基准值(Finland)
因子层 C_{16}:创新激情				
G_{d42}	信息通信技术在组织模式创新方面的作用④	数值	5.6	当年度全球国家最高值(United Kingdom & Finland)
G_{d43}	大学毕业生创业的比例	%	16.4	当年度 OECD 国家统计最高值(Turkey)

① 入学率计算目前基本分为“毛入学率”和“净入学率”两种,它们的主要区别在于是否将在适学年龄段(18~22 岁,美国为 18~24 岁)以外的学生统计在列。本研究采用毛入学率计算法,即分子为全部接受高等教育的学生总数,分母为适龄人口总数,它们的商就是最终结果。

② 国际上通常认为,高等教育毛入学率在 15%以下时属于精英教育阶段,15%~50%为高等教育大众化阶段,50%以上为高等教育普及化阶段。本研究以 50%作为基准值,将大于 50%的评测结果记为满分 100。

③ 这里的职业教育人数统计的是接受学历教育和非学历教育培训人数的总和。

④ 包括组织中的虚拟团队(Virtual Teams)、远程办公(Remote Working)和远程交互(Telecommuting)等管理模式创新。

续表

编号	评价指标	类型/单位	评价基准值	设定依据
$G_{d_{44}}$	国际三方发明专利增长的比例①	%	12.6	当年度 OECD 国家基准值②(South Korea)
因子层 C_{17}:人才流动				
$G_{d_{45}}$	国际交流学生净流入值③	万人	68	当年度全球国家最高值(United States)
$G_{d_{46}}$	大学在校生留学增长率④	%	20	IES 评价基准值
$G_{d_{47}}$	人才外流状况⑤	数值	6.3	当年度全球国家最高值⑥(Switzerland)

① 计算公式:(后一年国际三方专利数－前一年国际三方专利数)/前一年国际三方专利数。

② 三方专利增长比例意在考察一国科技专利申请的持续热情和能力,然而在 OECD 各国近四年的统计中,多数国家的增长率都起伏不定、震荡强烈(并时而出现负增长),因此我们选取了震荡较小并始终保持正向增长的韩国数据作为评价基准值(韩国在 2009～2012 年的增长率分别为 8.65%、0.69%、4.82%和 12.57%)。

③ 净流入值为其他国家到本国学习的高等院校学生数(Inbound Students)减去本国到其他国家学习的学生数(Outbound Students)。

④ 这里“在校生留学”的定义为出国攻读学位或参与国际交流访问的本科生、(硕博)研究生。

⑤ GCR 对外流状况进行了 1～7 的权重赋值,1 代表“最优秀的人才都去往其他国家寻求机会”,7 代表“本国为创新人才提供了许多机遇”。

⑥ 由于 THCR 之前没有关于该项指标的统计,因此指标数据年份均为 2014 年。

续表

编号	评价指标	类型/单位	评价基准值	设定依据
准则层 B_5:创新市场 因子层 C_{18}:创新需求				
G_{d48}	风险投资成交额①	数值	100	当年度全球国家最高值(Israel)
G_{d49}	企业层面的技术吸收	数值	6.3	当年度全球国家最高值(Sweden & Iceland)
G_{d50}	创业所需天数	数值	1	当年度全球国家最高值(New Zealand)
因子层 C_{19}:创新绩效				
G_{d51}	知识密集型服务业商标申请数占全部服务相关商标申请数的比例②	%	75	IES 评价基准值
G_{d52}	每千人拥有国际顶级域名数	数值	100	当年度全球国家最高值(United States 等四国)
G_{d53}	高科技产品出口占全部制造业出口的比例③	%	30	当年度国家基准值(Kazakhstan)

---

① GII 计算出每万亿 GDP 中风险投资成交额的比例,并将其换算为百分制得分,以比例最高的以色列(0.4)为标准值,计作 100 分。

② OECD 统计了所有在 OHIM(欧共体内部市场协调局)和 USPTO(美国专利和商标局)注册的知识密集型服务业的商标信息,这些信息大致可分为四类:商业服务(Business Services)、金融和保险(Finance and Insurance)、电子通信(Telecommunications)以及研究开发(R&D)。为了便于研究,我们将 OHIM 和 USPTO 各类商标总数的算术平均值作为指标评价值。

③ 高科技出口产品是指具有诸如航空航天、计算机、生物医药、研究仪器、电气机械这类具有高研发强度的产品。

续表

编号	评价指标	类型/单位	评价基准值	设定依据
因子层 C_{20}：市场机制				
G_{d54}	贸易开放度①	%	50	IES 评价基准值
G_{d55}	反垄断政策有效性	数值	5.7	当年度全球国家最高值（Netherlands）
G_{d56}	消费者成熟程度	数值	5.4	当年度全球国家最高值（Japan）
G_{d57}	市场监管质量	数值	100	当年度全球国家最高值（Singapore）

6.2 模糊综合评价流程

6.2.1 构建评价集

评价集是对评价可能产生结果的总体集合。根据前面对于创新生态系统发展成熟度的表述，我们将成熟度评价等级设为5级，即评价集 P =（很差，较

① 计算公式为：（进口贸易总额占 GDP 的比重+出口贸易总额占 GDP 的比重）/2。

差，一般，较好，很好)，如表 6.2 所示。

表 6.2 IES 发展成熟度评价集

评价等级	得分(F_{Ci})	系统发展成熟度(P)
P_1	30	低
P_2	45	较低
P_3	60	中等
P_4	75	较高
P_5	90	高

6.2.2 建立评价因子的层级结构

根据第 5 章的论述，我们以 U 代表影响因素，建立各层次的评价因子集如下：

$U=A=[B_1 \quad B_2 \quad B_3 \quad B_4 \quad B_5]$

=[创新环境　创新机构　创新资源　创新人才　创新市场]

其中

$B_1=[C_1 \quad C_2 \quad C_3 \quad C_4]$

=[政策环境　人文环境　生态环境　风险环境]

$B_2=[C_5 \quad C_6 \quad C_7 \quad C_8 \quad C_9]$

=[产业机构　政府机构　科研机构　服务机构　机构合作]

$B_3=[C_{10} \quad C_{11} \quad C_{12} \quad C_{13}]$

=[创新经费　知识基础　交通网络　信息网络]

$B_4=[C_{14} \quad C_{15} \quad C_{16} \quad C_{17}]$

=[人才分布　人才培育　创新激情　人才流动]

$$B_5=[C_{18}\quad C_{19}\quad C_{20}]$$
$$=[\text{创新需求}\quad \text{创新绩效}\quad \text{市场机制}]$$

6.2.3 设定评价因子权重集

评价因子权重集是各层次因子集对应的权重集合，我们用 W 表示。参见前面对指标体系的综合赋权，可得各级权重集合如下：

$$W_A=[W_{B1}\quad W_{B2}\quad W_{B3}\quad W_{B4}\quad W_{B5}]$$
$$=[0.2885\quad 0.1904\quad 0.1256\quad 0.2512\quad 0.1443]$$

其中

$$W_{B1}=[W_{C1}\quad W_{C2}\quad W_{C3}\quad W_{C4}]$$
$$=[0.3618\quad 0.3270\quad 0.1635\quad 0.1477]$$
$$W_{B2}=[W_{C5}\quad W_{C6}\quad W_{C7}\quad W_{C8}\quad W_{C9}]$$
$$=[0.3158\quad 0.1456\quad 0.1921\quad 0.1542\quad 0.1921]$$
$$W_{B3}=[W_{C10}\quad W_{C11}\quad W_{C12}\quad W_{C13}]$$
$$=[0.3647\quad 0.2771\quad 0.1252\quad 0.2330]$$
$$W_{B4}=[W_{C14}\quad W_{C15}\quad W_{C16}\quad W_{C17}]$$
$$=[0.1497\quad 0.3940\quad 0.2593\quad 0.1970]$$
$$W_{B5}=[W_{C18}\quad W_{C19}\quad W_{C20}]$$
$$=[0.3108\quad 0.1958\quad 0.4934]$$

6.2.4 计算单因子模糊矩阵

将单因素指标 C_i 相对于基准值的得分 F_{C_i} 代入评价集 P 的评价区间，计算其对于每一种评级的隶属程度,若 S_{P_j} 表示 C_i 对于第 j 级评价值 P_j 的隶属度,则可记 F_{C_i} 的评价模糊集为 $[S_{P_1} \quad S_{P_2} \quad S_{P_3} \quad S_{P_4} \quad S_{P_5}]$,$C_i$ 的得分 F_{C_i} 隶属于五种评级的不同情况,可依据以下函数求得:

(1) 当 $F_{C_i} \in (0, P_1)$ 时,$S_{P_1}=1, S_{P_2}=S_{P_3}=S_{P_4}=S_{P_5}=0$;

(2) 当 $F_{C_i} \in (P_5, \infty)$ 时,$S_{P_5}=1, S_{P_1}=S_{P_2}=S_{P_3}=S_{P_4}=0$;

(3) 当 $F_{C_i} \in (P_j, P_{j+1})$(其中 $j=1,2,3,4$)时,C_i 隶属于 P_j 和 P_{j+1} 两种评级,其对于其他三种评级的隶属度都等于 0,且

$$S_{P_j} = \left|\frac{P_{j+1} - F_{C_i}}{P_{j+1} - P_j}\right|, \quad S_{P_{j+1}} = \left|\frac{F_{C_i} - P_j}{P_{j+1} - P_j}\right|$$

由上述 F_{C_i} 的评价模糊集可得指标 C_i 对于目标层 A 的模糊矩阵(单因素)R_i:

$$R_i = \begin{bmatrix} S_{11} & S_{12} & S_{13} & S_{14} & S_{15} \\ S_{21} & S_{22} & S_{23} & S_{24} & S_{25} \\ \vdots & \vdots & \vdots & \vdots & \vdots \\ S_{m1} & S_{m2} & S_{m3} & S_{m4} & S_{m5} \end{bmatrix} \quad (i=1,2,3,4,5; m=3,4,5)$$

6.2.5 单因素模糊评价

由模糊矩阵 R_i 和 C_i 所对应的权重 W_{C_i} 的乘积,可得到单因素模糊评价的结果:

$$K_i = R_i \cdot W_{C_i} = \begin{bmatrix} S_{11} & S_{12} & S_{13} & S_{14} & S_{15} \\ S_{21} & S_{22} & S_{23} & S_{24} & S_{25} \\ \vdots & \vdots & \vdots & \vdots & \vdots \\ S_{m1} & S_{m2} & S_{m3} & S_{m4} & S_{m5} \end{bmatrix} \cdot W_{C_i}$$

$$(i=1,2,3,4,5;m=3,4,5)$$

6.2.6 综合因素模糊评价

将所有因子层的模糊评价结果 K_i 组合起来，形成准则层的评价集 $T_i=[K_1 \quad K_2 \quad K_3 \quad \cdots \quad K_i]^{\mathrm{T}}$，结合准则层权重，得

$$Z=W_A \cdot T_i=[Z_1 \quad Z_2 \quad Z_3 \quad Z_4 \quad Z_5]$$

将 Z 进行归一化处理得到 $Z^\theta=[Z_1^\theta \quad Z_2^\theta \quad Z_3^\theta \quad Z_4^\theta \quad Z_5^\theta]$，其中最大的 Z^θ 即为评价的结果。

6.3 评价的价值

国家创新生态的构建方式和具体形态千差万别，但可以通过归纳创新生态的系统特征进行逐级评价，获取对于总体成熟度和分项成熟度的判断和对比，并以此为依据建构适合一国国情的创新生态系统发展战略。

创新活动处在特定的历史演化框架中，过去、现在、未来一脉相承。在明确了创新生态系统的发展指向后，我们可以对国家规划创新生态布局后的每一年进行年度总体评价，以判断是否达到了年初既定的各项目标，并查找预期外的问题，搜寻可能产生的新趋势，以确认是否继续施行原有计划或做出调整。

第7章
创新生态发展成熟度评估实例：中国、美国、德国的比较

7.1 选择中、美、德的理由

本研究选取中国、美国和德国在具体年份的创新表现作为样本进行实测的原因如下所述。

7.1.1 中国

中国是最大的发展中国家，也是现阶段全球第二大经济体，在科技和社会创新上都处于追赶态势。思考中国在现阶段下创新生态的发展路径是本研究的出发点和落脚点，评测中国数据的核心目的之一是希望最大限度地揭示与创新先发国家在创新生态建设上的具体差距，以便在创新驱动发展的战略时期寻找高效突破口。

7.1.2 美国

美国是最大的引领型发达国家，也是在科学研究和技术创新领域最具话语

权的国家，更是全球风险投资的主要流向地，为创新者不断涌现的新理念提供着系统化的融资支持。这种引领地位的实现和维持必定有政策、经济、社会、文化等多个方面的深度原因，评测美国数据有助于理解这一成熟范例的培育路径。

7.1.3 德国

德国是区域经济发展典范——欧盟的代表，以理学、工程科学为特征的基础研究和以高端制造业为特征的应用技术在全球处于领先地位，如何融通创新与工业、高等教育，实现创新的社会效应是处于经济转型发展中的国家亟须借鉴的。

7.2 数据采集和处理

7.2.1 原始数据采集

考虑到数据完整性等因素，我们选择 2012 年作为数据采集的标准年份，根据数据得出路径的不同，我们将具体指标分为客观指标和主观指标两类。客观指标主要来源于国际专业机构（世界银行、联合国教科文组织）、区域合作组织（欧盟委员会、OECD）和三国政府统计机构发布的年度数据；主观指标则主要来源于国际知名研究机构发布的创新排行榜、竞争力报告和分行业专业报告。

根据创新生态系统发展成熟度的指标体系,采集的数据如表 7.1 所示。

表 7.1　IES 发展成熟度实测评价的原始数据

评价指标	采集数据（以 2012 年为例）			数据来源
	中	美	德	
准则层 B_1:创新环境 因子层 C_1:政策环境				
知识产权保护程度(f_{d1})	3.9	5.2	5.6	全球竞争力报告(Global Competitiveness Report)(2012～2013)中的高管意见调查
法律框架内解决纠纷的效率(f_{d2})	4.2	4.5	4.9	全球竞争力报告(Global Competitiveness Report)(2012～2013)中的高管意见调查
政府决策透明度(f_{d3})	4.5	4.4	5.0	全球竞争力报告(Global Competitiveness Report)(2012～2013)中的高管意见调查
因子层 C_2:人文环境				
人类发展指数(f_{d4})	0.699	0.937	0.920	人类发展报告(Human Development Report)①2013
公共教育支出占 GDP 的比重(%)(f_{d5})	4.3	5.6	5.1	世界银行数据库、人类发展报告(Human Development Report)
基尼系数(f_{d6})	0.474	0.451	0.283	三国官方统计机构公布的数据

① 由联合国开发计划署(UNDP)发布的年度报告,使用预期寿命指数、教育指数(包括平均和预期学习教育年数)和人均国民收入的几何平均值来评价各国的人类发展情况,并对发展指数进行国别分级。值得注意的是,数据采集后的下一年份(2013 年),中国首次被评定为高人类发展指数国家。

续表

评价指标	采集数据（以2012年为例）			数据来源
	中	美	德	
人均年读书数(本)①(f_{d7})	7	15	16	中:全国国民阅读调查报告; 美:皮尤调查(Pew Survey); 德:德国书业协会
因子层 C_3:生态环境				
环境绩效指数(f_{d8})	43	67.52	80.47	耶鲁大学环境绩效指数(Environmental Performance Index)调查公布的数据②
单位能源消耗所创造的 GDP(f_{d9})	5.1	7.4	11.2	世界银行数据库
可再生能源发电能力(GW)(f_{d10})	90	86	71	全球可再生现状报告(Renewables 2013 Global Status Report)
因子层 C_4:风险环境				
国防支出占 GDP 的比重(%)(f_{d11})	2.0	4.2	1.4	世界银行数据库
长期主权信用评级(f_{d12})	AA−	AA+	AAA	标准普尔(Standard & Poor's)
国家风险指数(f_{d13})	70	80	82	政治风险服务(Political Risk Services)全球政治风险分析报告
准则层 B_2:创新机构 因子层 C_5:产业机构				
ICT 服务出口占服务总出口的比重(%)(f_{d14})	31.2	23.2	39.0	世界银行数据库

① 对读书数(本)的统计为纸质图书和电子图书阅读量的总和。

② 由耶鲁大学不定期发布,最新的2014年版从"环境健康"和"生态系统活力"两大维度的构建入手,使用20个指标对178个国家的健康影响、空气质量、水与卫生、农业、森林、渔业、生态多样性和栖息地、气候和能源等高优先环境政策问题进行综合评估。

续表

评价指标	采集数据（以 2012 年为例）			数据来源
	中	美	德	
企业研发投入（f_{d15}）	4.1	5.3	5.5	全球竞争力报告（Global Competitiveness Report）（2012～2013）中的高管意见调查
因子层 C_6：政府机构				
企业研发税收补贴率（f_{d16}）	0.14	0.07	−0.02	经合组织-科技和产业计分牌 2013（OECD Science, Technology and Industry Scoreboard 2013）
R&D 经费支出中政府资金所占比例(%)（f_{d17}）	16.3	12.1	14.7	经合组织-科技和产业计分牌 2013（OECD Science, Technology and Industry Scoreboard 2013）
因子层 C_7：科研机构				
全球前 400 名大学数量（f_{d18}）	16①	109	26	泰晤士高等教育世界大学排名 2013（Times Higher Education The World University Rankings 2013）②
科研机构质量（f_{d19}）	4.2	5.8	5.6	全球竞争力报告（Global Competitiveness Report）（2012～2013）中的高管意见调查
因子层 C_8：服务机构				
全球前 150 名智库数量（f_{d20}）	6	11	12	宾夕法尼亚大学全球智库发展报告（Global Go To Think Tanks Index）2013
每百万平方千米科技园区数量（f_{d21}）	0.09③	0.08	0.36	联合国教科文组织（UNESCO）

① 16 所高校中包括香港的 6 所高校(台湾地区的 5 所入围高校未列入)。

② 《泰晤士高等教育特刊》对全球高校的排名参考了教学、科研、论文引用、国际化程度和企业创新资金投入等五大方面的指标。

③ 中国统计的科技园区共有 82 个，包括内地的 80 个和香港的 2 个。

续表

评价指标	采集数据（以2012年为例）			数据来源
	中	美	德	
因子层 C_9：机构合作				
高校和政府部门研发活动中企业资助的比例(%)(f_{d22})	14.36	2.79	11.70	经合组织，研究和发展数据库(OECD, Research and Development Statistics Database)
集群发展状况(f_{d23})	59.67	67.12	68.56	全球创新指数(The Global Innovation Index) 2013
合资、战略联盟协议情况(f_{d24})	14.83	38.45	13.02	全球创新指数(The Global Innovation Index) 2013
准则层 B_3：创新资源 因子层 C_{10}：创新经费				
研究开发投入占GDP的比重(%)(f_{d25})	1.982	2.698	2.877	经合组织，主要科学技术指标(OECD, Main Science and Technology Indicators)
百万人口知识产权使用费(亿元)(f_{d26})	0.13	1.25	0.75	世界银行数据库，经合组织统计(OECD Statistics)
取得信用贷款的便利度(f_{d27})	62.5	93.8	81.3	全球创新指数(The Global Innovation Index) 2013
因子层 C_{11}：知识基础				
国际科技论文篇均被引用次数(f_{d28})	6.92	15.99	13.68	中国科学技术信息研究所，中文科技论文统计数据(ISTIC, Statistical Data of Chinese S&T Papers) 2013
三方专利数(亿件)(f_{d29})	9.86	124.51	47.73	经合组织统计，欧盟统计局(OECD Statistics, Eurostat)
国际前2000名机构知识库数量(f_{d30})	17	381	90	西班牙赛博计量学实验室
因子层 C_{12}：交通网络				

续表

评价指标	采集数据（以2012年为例）			数据来源
	中	美	德	
国际客运吞吐前100名机场数量(f_{d31})	12	27	4	国际机场理事会(Airports Council International)
公路质量(f_{d32})	4.4	5.7	6.1	全球竞争力报告(Global Competitiveness Report)(2012～2013)中的高管意见调查
因子层C_{13}:信息网络				
政府在线服务(f_{d33})	53	100	75	全球创新指数(The Global Innovation Index) 2013
网络连接速率(f_{d34})	2169	8034	6851	阿矢迈互联网发展现状报告(The Akamai State of the Internet Report)
B2C电子商务使用情况(f_{d35})	4.9	6.0	5.7	全球信息技术报告(The Global Information Technology Report) 2013
准则层B_4:创新人才 因子层C_{14}:人才分布				
企业全职研究人员的比重(%)(f_{d36})	62.1	56.3	68.1	联合国教科文组织数据中心(UNESCO Data Center)
每千名就业者中研究人员的数量(f_{d37})	1.83	8.74	8.38	经济组织统计数据(OECD Statistics)
高技能就业者的比例(%)(f_{d38})	11.7	43.1	42.2	人力资本报告(The Human Capital Report) 2015

续表

评价指标	采集数据（以2012年为例）			数据来源
	中	美	德	
因子层 C_{15}：人才培育				
高等教育毛入学率（%）（f_{d39}）	30	92	32	中：全国教育事业发展统计公报；美：国家教育统计中心（National Center for Education Statistics①）；德：经合组织教育数据库（OECD Education Database）②
接受职业教育人次占劳动力总数的比例（%）（f_{d40}）	8.5	10.1	13.2	中：中国国家统计年鉴；美：教育统计文摘（Digest of Education Statistics）；德：德国审计数据报告（VET Data Report Germany）；
中等教育师生比（学生：教师）（%）（f_{d41}）	14.5	14.7	12.7	三国劳动力数据：世界银行数据库联合国教科文组织数据中心（UNESCO Data Center）
因子层 C_{16}：创新激情				
信息通信技术在组织模式创新方面的作用（f_{d42}）	4.7	5.4	5.0	全球信息技术报告（The Global Information Technology Report）2013

① 根据美国 National Center for Education Statistics 教育统计摘要2013公布的18～19岁人口（B）和20～21岁人口（C）的数据，以及学位授予高校注册大学生数（A），假定美国22岁的人口相当于20～21岁人口的年平均值，高等教育毛入学率$=A/(B+C+C/2)$。

② 根据 OECD Education Database 可以得到德国的高等教育在学人数（A），根据欧洲统计局“youth population by sex, age and country of birth”可以得到20～24岁人口（B）、15～19岁人口（C），假设20～24岁、15～19岁人口都是平均分布的，20～22岁人口是20～24岁人口的五分之三，18～19岁人口是15～19岁人口的五分之二。德国高等毛入学率$=A/(B\times3/5+C\times2/5)$。

续表

评价指标	采集数据（以 2012 年为例）			数据来源
	中	美	德	
大学毕业生创业的比例(%)(f_{d43})	2.0	15.3	9.8	中国大学毕业生就业报告，经济组织统计数据(OECD Statistics)
国际三方发明专利增长的比例(%)(f_{d44})	8.6	1.9	−0.4	经合组织三方专利家族(OECD Triadic Patent Families)
因子层 C_{17}：人才流动				
国际交流学生净流入值(万人)(f_{d45})	−60.5	68.0	8.9	联合国教科文组织数据中心(UNESCO Data Center)
大学在校生留学增长率(%)(f_{d46})	17.6	2.1	9.7	中：中国出国留学人员情况年度统计； 美：美国开放门户报告(Open Doors)； 德：德国海外留学生(Germany's Students Overseas)(IIE)
人才外流状况(f_{d47})	4.1	5.6	4.7	全球竞争力报告(Global Competitiveness Report)(2012～2013)中的高管意见调查
准则层 B_5：创新市场 因子层 C_{18}：创新需求				
风险投资成交额(f_{d48})	39.0	93.8	61.9	全球创新指数(The Global Innovation Index) 2013
企业层面的技术吸收(f_{d49})	4.7	5.9	5.9	全球竞争力报告(Global Competitiveness Report)(2012～2013)中的高管意见调查
创业所需天数(f_{d50})	33	6	15	经合组织——科技和产业计分牌2013(OECD Science, Technology and Industry Scoreboard 2013)

续表

评价指标	采集数据（以2012年为例）			数据来源
	中	美	德	
因子层 C_{19}：创新绩效				
知识密集型服务业商标申请数占全部服务业相关商标申请数的比例(%)(f_{d51})	66.5	56	59.5	经合组织——科技和产业计分牌2013(OECD Science, Technology and Industry Scoreboard 2013)
每千人拥有国际顶级域名数(f_{d52})	2.4	100.0	70.6	全球创新指数(The Global Innovation Index) 2013
高科技产品出口占全部制造业出口的比例(%)(f_{d53})	26	18	16	世界银行数据库
因子层 C_{20}：市场机制				
贸易开放度(%)(f_{d54})	22.9	15.4	43.0	世界银行数据库
反垄断政策有效性(f_{d55})	4.2	4.9	4.8	全球竞争力报告(Global Competitiveness Report)(2012～2013)中的高管意见调查
消费者成熟程度(f_{d56})	4.6	4.6	4.5	全球竞争力报告(Global Competitiveness Report)(2012～2013)中的高管意见调查
市场监管质量(f_{d57})	42.1	82.4	88.8	全球创新指数(The Global Innovation Index) 2014

7.2.2 数据处理与分值计算

首先将表7.1中的原始数值与基准值进行比较，实现数据的无量纲化，再代入第 5 章中的计算公式，算出各评价指标的分值①。

1. 一级指标：创新环境(B_1)

(1) 政策环境(C_1)

$$F_{C_1中}=\left(\frac{f_{d_1中}}{G_{d_1}}+\frac{f_{d_2中}}{G_{d_2}}+\frac{f_{d_3中}}{G_{d_3}}\right)/3\times100=\left(\frac{3.9}{6.3}+\frac{4.2}{6.2}+\frac{4.5}{6.2}\right)/3\times100=67.4$$

$$F_{C_1美}=\left(\frac{f_{d_1美}}{G_{d_1}}+\frac{f_{d_2美}}{G_{d_2}}+\frac{f_{d_3美}}{G_{d_3}}\right)/3\times100=\left(\frac{5.2}{6.3}+\frac{4.5}{6.2}+\frac{4.4}{6.2}\right)/3\times100=75.4$$

$$F_{C_1德}=\left(\frac{f_{d_1德}}{G_{d_1}}+\frac{f_{d_2德}}{G_{d_2}}+\frac{f_{d_3德}}{G_{d_3}}\right)/3\times100=\left(\frac{5.6}{6.3}+\frac{4.9}{6.2}+\frac{5.0}{6.2}\right)/3\times100=82.9$$

(2) 人文环境(C_2)

$$F_{C_2中}=\left(\frac{f_{d_4中}}{G_{d_4}}+\frac{f_{d_5中}}{G_{d_5}}+\frac{G_{d_6}}{f_{d_6中}}+\frac{f_{d_7中}}{G_{d_7}}\right)/4\times100$$

$$=\left(\frac{0.699}{0.955}+\frac{4.3}{8.7}+\frac{0.2}{0.474}+\frac{7}{20}\right)/4\times100=50.0$$

$$F_{C_2美}=\left(\frac{f_{d_4美}}{G_{d_4}}+\frac{f_{d_5美}}{G_{d_5}}+\frac{G_{d_6}}{f_{d_6美}}+\frac{f_{d_7美}}{G_{d_7}}\right)/4\times100$$

$$=\left(\frac{0.937}{0.955}+\frac{5.6}{8.7}+\frac{0.2}{0.451}+\frac{15}{20}\right)/4\times100=70.5$$

$$F_{C_2德}=\left(\frac{f_{d_4德}}{G_{d_4}}+\frac{f_{d_5德}}{G_{d_5}}+\frac{G_{d_6}}{f_{d_6德}}+\frac{f_{d_7德}}{G_{d_7}}\right)/4\times100$$

$$=\left(\frac{0.920}{0.955}+\frac{5.1}{8.7}+\frac{0.2}{0.283}+\frac{16}{20}\right)/4\times100=76.4$$

---

① 在计算中，除了数值最优集中型的分类外，当原始数值优于基准值，即得分超过 100 分时，为了使其进入原有的评价集，则一律按照 100 分计算。

（3）生态环境（C_3）

$$F_{C_3中}=\left(\frac{f_{d8中}}{G_{d8}}+\frac{f_{d9中}}{G_{d9}}+\frac{f_{d10中}}{G_{d10}}\right)/3\times100=\left(\frac{43}{87.67}+\frac{5.1}{17.1}+\frac{90}{90}\right)/3\times100=59.6$$

$$F_{C_3美}=\left(\frac{f_{d8美}}{G_{d8}}+\frac{f_{d9美}}{G_{d9}}+\frac{f_{d10美}}{G_{d10}}\right)/3\times100=\left(\frac{67.52}{87.67}+\frac{7.4}{17.1}+\frac{86}{90}\right)/3\times100=71.9$$

$$F_{C_3德}=\left(\frac{f_{d8德}}{G_{d8}}+\frac{f_{d9德}}{G_{d9}}+\frac{f_{d10德}}{G_{d10}}\right)/3\times100=\left(\frac{80.47}{87.67}+\frac{11.2}{17.1}+\frac{71}{90}\right)/3\times100=78.7$$

（4）风险环境（C_4）

$$F_{C_4中}=\left(\frac{G_{d11}}{f_{d11中}}+\frac{f_{d12中}}{G_{d12}}+\frac{f_{d13中}}{G_{d13}}\right)/3\times100=\left(\frac{1.2}{2.0}+\frac{75}{100}+\frac{70}{100}\right)/3\times100=68.3$$

$$F_{C_4美}=\left(\frac{G_{d11}}{f_{d11美}}+\frac{f_{d12美}}{G_{d12}}+\frac{f_{d13美}}{G_{d13}}\right)/3\times100=\left(\frac{1.2}{4.2}+\frac{85}{100}+\frac{80}{100}\right)/3\times100=64.5$$

$$F_{C_4德}=\left(\frac{G_{d11}}{f_{d11德}}+\frac{f_{d12德}}{G_{d12}}+\frac{f_{d13德}}{G_{d13}}\right)/3\times100=\left(\frac{1.2}{1.4}+\frac{95}{100}+\frac{82}{100}\right)/3\times100=87.6$$

2. 一级指标：创新机构（B_2）

（1）产业机构（C_5）

$$F_{C_5中}=\left(\frac{f_{d14中}}{G_{d14}}+\frac{f_{d15中}}{G_{d15}}\right)/2\times100=\left(\frac{31.2}{66.3}+\frac{4.1}{5.9}\right)/2\times100=58.3$$

$$F_{C_5美}=\left(\frac{f_{d14美}}{G_{d14}}+\frac{f_{d15美}}{G_{d15}}\right)/2\times100=\left(\frac{23.2}{66.3}+\frac{5.3}{5.9}\right)/2\times100=62.4$$

$$F_{C_5德}=\left(\frac{f_{d14德}}{G_{d14}}+\frac{f_{d15德}}{G_{d15}}\right)/2\times100=\left(\frac{39.0}{66.3}+\frac{5.5}{5.9}\right)/2\times100=76.0$$

（2）政府机构（C_6）

$$F_{C_6中}=\left(\frac{f_{d16中}}{G_{d16}}+\frac{f_{d17中}}{G_{d17}}\right)/2\times100=\left(\frac{0.14}{0.6}+\frac{16.3}{20}\right)/2\times100=52.4$$

$$F_{C6美}=\left[\frac{f_{d16美}}{G_{d16}}+\frac{f_{d17美}}{G_{d17}}\right]/2\times100=\left(\frac{0.07}{0.6}+\frac{12.1}{20}\right)/2\times100=36.1$$

$$F_{C6德}=\left[\frac{f_{d16德}}{G_{d16}}+\frac{f_{d17德}}{G_{d17}}\right]/2\times100=\left(\frac{14.7}{20}-\frac{0.02}{0.6}\right)/2\times100=35.1$$

(3) 科研机构(C_7)

$$F_{C7中}=\left[\frac{f_{d18中}}{G_{d18}}+\frac{f_{d19中}}{G_{d19}}\right]/2\times100=\left(\frac{16}{109}+\frac{4.2}{6.3}\right)/2\times100=40.7$$

$$F_{C7美}=\left[\frac{f_{d18美}}{G_{d18}}+\frac{f_{d19美}}{G_{d19}}\right]/2\times100=\left(\frac{109}{109}+\frac{5.8}{6.3}\right)/2\times100=96.0$$

$$F_{C7德}=\left[\frac{f_{d18德}}{G_{d18}}+\frac{f_{d19德}}{G_{d19}}\right]/2\times100=\left(\frac{26}{109}+\frac{5.6}{6.3}\right)/2\times100=56.4$$

(4) 服务机构(C_8)

$$F_{C8中}=\left[\frac{f_{d20中}}{G_{d20}}+\frac{f_{d21中}}{G_{d21}}\right]/2\times100=\left(\frac{6}{12}+\frac{0.09}{0.4}\right)/2\times100=36.3$$

$$F_{C8美}=\left[\frac{f_{d20美}}{G_{d20}}+\frac{f_{d21美}}{G_{d21}}\right]/2\times100=\left(\frac{11}{12}+\frac{0.08}{0.4}\right)/2\times100=55.8$$

$$F_{C8德}=\left[\frac{f_{d20德}}{G_{d20}}+\frac{f_{d21德}}{G_{d21}}\right]/2\times100=\left(\frac{12}{12}+\frac{0.36}{0.4}\right)/2\times100=95.0$$

(5) 机构合作(C_9)

$$F_{C9中}=\left[\frac{f_{d22中}}{G_{d22}}+\frac{f_{d23中}}{G_{d23}}+\frac{f_{d24中}}{G_{d24}}\right]/3\times100$$

$$=\left(\frac{14.36}{14.65}+\frac{59.67}{71.12}+\frac{14.83}{100}\right)/3\times100=65.6$$

$$F_{C9美}=\left[\frac{f_{d22美}}{G_{d22}}+\frac{f_{d23美}}{G_{d23}}+\frac{f_{d24美}}{G_{d24}}\right]/3\times100$$

$$=\left(\frac{2.79}{14.65}+\frac{67.12}{71.12}+\frac{38.45}{100}\right)/3\times100=50.6$$

$$F_{C9德}=\left(\frac{f_{d22德}}{G_{d22}}+\frac{f_{d23德}}{G_{d23}}+\frac{f_{d24德}}{G_{d24}}\right)/3\times100$$

$$=\left(\frac{11.70}{14.65}+\frac{68.56}{71.12}+\frac{13.02}{100}\right)/3\times100=63.1$$

3. 一级指标:创新资源(B_3)

(1) 创新经费(C_{10})

$$F_{C10中}=\left(\frac{f_{d25中}}{G_{d25}}+\frac{f_{d26中}}{G_{d26}}+\frac{f_{d27中}}{G_{d27}}\right)/3\times100$$

$$=\left(\frac{1.982}{4.247}+\frac{0.13}{1.34}+\frac{62.5}{100}\right)/3\times100=39.6$$

$$F_{C10美}=\left(\frac{f_{d25美}}{G_{d25}}+\frac{f_{d26美}}{G_{d26}}+\frac{f_{d27美}}{G_{d27}}\right)/3\times100$$

$$=\left(\frac{2.698}{4.247}+\frac{1.25}{1.34}+\frac{93.8}{100}\right)/3\times100=83.5$$

$$F_{C10德}=\left(\frac{f_{d25德}}{G_{d25}}+\frac{f_{d26德}}{G_{d26}}+\frac{f_{d27德}}{G_{d27}}\right)/3\times100$$

$$=\left(\frac{2.877}{4.247}+\frac{0.75}{1.34}+\frac{81.3}{100}\right)/3\times100=68.3$$

(2) 知识基础(C_{11})

$$F_{C11中}=\left(\frac{f_{d28中}}{G_{d28}}+\frac{f_{d29中}}{G_{d29}}+\frac{f_{d30中}}{G_{d30}}\right)/3\times100$$

$$=\left(\frac{6.92}{17.21}+\frac{9.86}{163.59}+\frac{17}{200}\right)/3\times100=18.2$$

$$F_{C11美}=\left(\frac{f_{d28美}}{G_{d28}}+\frac{f_{d29美}}{G_{d29}}+\frac{f_{d30美}}{G_{d30}}\right)/3\times100$$

$$=\left(\frac{15.99}{17.21}+\frac{124.51}{163.59}+\frac{200}{200}\right)/3\times100=89.7$$

$$F_{C11德}=\left(\frac{f_{d28德}}{G_{d28}}+\frac{f_{d29德}}{G_{d29}}+\frac{f_{d30德}}{G_{d30}}\right)/3\times100$$

$$=\left(\frac{13.68}{17.21}+\frac{47.73}{163.59}+\frac{90}{200}\right)/3\times100=51.2$$

（3）交通网络（C_{12}）

$$F_{C12中}=\left(\frac{f_{d31中}}{G_{d31}}+\frac{f_{d32中}}{G_{d32}}\right)/2\times100=\left(\frac{12}{27}+\frac{4.4}{6.5}\right)/2\times100=56.1$$

$$F_{C12美}=\left(\frac{f_{d31美}}{G_{d31}}+\frac{f_{d32美}}{G_{d32}}\right)/2\times100=\left(\frac{27}{27}+\frac{5.7}{6.5}\right)/2\times100=93.8$$

$$F_{C12德}=\left(\frac{f_{d31德}}{G_{d31}}+\frac{f_{d32德}}{G_{d32}}\right)/2\times100=\left(\frac{4}{27}+\frac{6.1}{6.5}\right)/2\times100=54.3$$

（4）信息网络（C_{13}）

$$F_{C13中}=\left(\frac{f_{d33中}}{G_{d33}}+\frac{f_{d34中}}{G_{d34}}+\frac{f_{d35中}}{G_{d35}}\right)/3\times100=\left(\frac{53}{100}+\frac{2169}{9644}+\frac{4.9}{6.3}\right)/3\times100=51.1$$

$$F_{C13美}=\left(\frac{f_{d33美}}{G_{d33}}+\frac{f_{d34美}}{G_{d34}}+\frac{f_{d35美}}{G_{d35}}\right)/3\times100=\left(\frac{100}{100}+\frac{8034}{9644}+\frac{6.0}{6.3}\right)/3\times100=92.8$$

$$F_{C13德}=\left(\frac{f_{d33德}}{G_{d33}}+\frac{f_{d34德}}{G_{d34}}+\frac{f_{d35德}}{G_{d35}}\right)/3\times100=\left(\frac{75}{100}+\frac{6851}{9644}+\frac{5.7}{6.3}\right)/3\times100=78.8$$

4. 一级指标：创新人才（B_4）

（1）人才分布（C_{14}）

$$F_{C14中}=\left[\left(\frac{f_{d36中}}{G_{d36}}+\frac{f_{d38中}}{G_{d38}}\right)/2+\frac{f_{d37中}}{G_{d37}}\right]/2\times100$$

$$=\left[\left(\frac{62.1}{89.6}+\frac{11.7}{59.6}\right)/2+\frac{1.83}{17.44}\right]/2\times100=27.5$$

$$F_{C14美}=\left[\left(\frac{f_{d36美}}{G_{d36}}+\frac{f_{d38美}}{G_{d38}}\right)/2+\frac{f_{d37美}}{G_{d37}}\right]/2\times100$$

$$=\left[\left(\frac{56.3}{89.6}+\frac{43.1}{59.6}\right)/2+\frac{8.74}{17.44}\right]/2\times 100=58.8$$

$$F_{C14\text{德}}=\left[\left(\frac{f_{d36\text{德}}}{G_{d36}}+\frac{f_{d38\text{德}}}{G_{d38}}\right)/2+\frac{f_{d37\text{德}}}{G_{d37}}\right]/2\times 100$$

$$=\left[\left(\frac{68.1}{89.6}+\frac{42.2}{59.6}\right)/2+\frac{8.38}{17.44}\right]/2\times 100=60.7$$

（2）人才培育（C_{15}）

$$F_{C15\text{中}}=\left[\left(\frac{f_{d39\text{中}}}{G_{d39}}+\frac{f_{d40\text{中}}}{G_{d40}}\right)/2+\frac{G_{d41}}{f_{d41\text{中}}}\right]/2\times 100$$

$$=\left[\left(\frac{30}{50}+\frac{8.5}{15}\right)/2+\frac{9.3}{14.5}\right]/2\times 100=61.2$$

$$F_{C15\text{美}}=\left[\left(\frac{f_{d39\text{美}}}{G_{d39}}+\frac{f_{d40\text{美}}}{G_{d40}}\right)/2+\frac{G_{d41}}{f_{d41\text{美}}}\right]/2\times 100$$

$$=\left[\left(\frac{50}{50}+\frac{10.1}{15}\right)/2+\frac{9.3}{14.7}\right]/2\times 100=73.5$$

$$F_{C15\text{德}}=\left[\left(\frac{f_{d39\text{德}}}{G_{d39}}+\frac{f_{d40\text{德}}}{G_{d40}}\right)/2+\frac{G_{d41}}{f_{d41\text{德}}}\right]/2\times 100$$

$$=\left[\left(\frac{32}{50}+\frac{13.2}{15}\right)/2+\frac{9.3}{12.7}\right]/2\times 100=74.6$$

（3）创新激情（C_{16}）

$$F_{C16\text{中}}=\left(\frac{f_{d42\text{中}}}{G_{d42}}+\frac{f_{d43\text{中}}}{G_{d43}}+\frac{f_{d44\text{中}}}{G_{d44\text{中}}}\right)/3\times 100=\left(\frac{4.7}{5.6}+\frac{2.0}{16.4}+\frac{8.6}{12.6}\right)/3\times 100=54.8$$

$$F_{C16\text{美}}=\left(\frac{f_{d42\text{美}}}{G_{d42}}+\frac{f_{d43\text{美}}}{G_{d43}}+\frac{f_{d44\text{美}}}{G_{d44}}\right)/3\times 100=\left(\frac{5.4}{5.6}+\frac{15.3}{16.4}+\frac{1.9}{12.6}\right)/3\times 100=68.3$$

$$F_{C16\text{德}}=\left(\frac{f_{d42\text{德}}}{G_{d42}}+\frac{f_{d43\text{德}}}{G_{d43}}+\frac{f_{d44\text{德}}}{G_{d44}}\right)/3\times 100=\left(\frac{5.0}{5.6}+\frac{9.8}{16.4}-\frac{0.4}{12.6}\right)/3\times 100=48.6$$

（4）人才流动（C_{17}）

$$F_{C_{17}中}=\left(\frac{f_{d_{45}中}}{G_{d_{45}}}+\frac{f_{d_{46}中}}{G_{d_{46}}}+\frac{f_{d_{47}中}}{G_{d_{47}}}\right)/3\times100=\left(\frac{17.6}{20}+\frac{4.1}{6.3}-\frac{60.5}{68}\right)/3\times100=21.4$$

$$F_{C_{17}美}=\left(\frac{f_{d_{45}美}}{G_{d_{45}}}+\frac{f_{d_{46}美}}{G_{d_{46}}}+\frac{f_{d_{47}美}}{G_{d_{47}}}\right)/3\times100=\left(\frac{68.0}{68}+\frac{2.1}{20}+\frac{5.6}{6.3}\right)/3\times100=66.5$$

$$F_{C_{17}德}=\left(\frac{f_{d_{45}德}}{G_{d_{45}}}+\frac{f_{d_{46}德}}{G_{d_{46}}}+\frac{f_{d_{47}德}}{G_{d_{47}}}\right)/3\times100=\left(\frac{8.9}{68}+\frac{9.7}{20}+\frac{4.7}{6.3}\right)/3\times100=45.4$$

5. 一级指标：创新市场（B_5）

（1）创新需求（C_{18}）

$$F_{C_{18}中}=\left(\frac{f_{d_{48}中}}{G_{d_{48}}}+\frac{f_{d_{49}中}}{G_{d_{49}}}+\frac{G_{d_{50}}}{f_{d_{50}中}}\right)/3\times100=\left(\frac{39.0}{100}+\frac{4.7}{6.3}+\frac{1}{33}\right)/3\times100=38.9$$

$$F_{C_{18}美}=\left(\frac{f_{d_{48}美}}{G_{d_{48}}}+\frac{f_{d_{49}美}}{G_{d_{49}}}+\frac{G_{d_{50}}}{f_{d_{50}美}}\right)/3\times100=\left(\frac{93.8}{100}+\frac{5.9}{6.3}+\frac{1}{6}\right)/3\times100=68.0$$

$$F_{C_{18}德}=\left(\frac{f_{d_{48}德}}{G_{d_{48}}}+\frac{f_{d_{49}德}}{G_{d_{49}}}+\frac{G_{d_{50}}}{f_{d_{50}德}}\right)/3\times100=\left(\frac{61.9}{100}+\frac{5.9}{6.3}+\frac{1}{15}\right)/3\times100=54.1$$

（2）创新绩效（C_{19}）

$$F_{C_{19}中}=\left[\left(\frac{f_{d_{51}中}}{G_{d_{51}}}+\frac{f_{d_{53}中}}{G_{d_{53}}}\right)/2+\frac{f_{d_{52}中}}{G_{d_{52}}}\right]/2\times100$$

$$=\left[\left(\frac{66.5}{75}+\frac{26}{30}\right)/2+\frac{2.4}{100}\right]/2\times100=45.0$$

$$F_{C_{19}美}=\left[\left(\frac{f_{d_{51}美}}{G_{d_{51}}}+\frac{f_{d_{53}美}}{G_{d_{53}}}\right)/2+\frac{f_{d_{52}美}}{G_{d_{52}}}\right]/2\times100$$

$$=\left[\left(\frac{56}{75}+\frac{18}{30}\right)/2+\frac{100}{100}\right]/2\times100=83.7$$

$$F_{C_{19}德}=\left[\left(\frac{f_{d_{51}德}}{G_{d_{51}}}+\frac{f_{d_{53}德}}{G_{d_{53}}}\right)/2+\frac{f_{d_{52}德}}{G_{d_{52}}}\right]/2\times100$$

$$=\left[\left(\frac{59.5}{75}+\frac{16}{30}\right)/2+\frac{70.6}{100}\right]/2\times100=68.5$$

(3) 市场机制(C_{20})

$$F_{C_{20}中}=\left(\frac{f_{d_{54}中}}{G_{d_{54}}}+\frac{f_{d_{55}中}}{G_{d_{55}}}+\frac{f_{d_{56}中}}{G_{d_{56}}}+\frac{f_{d_{57}中}}{G_{d_{57}}}\right)/4\times 100$$

$$=\left(\frac{22.9}{50}+\frac{4.2}{5.7}+\frac{4.6}{5.4}+\frac{42.1}{100}\right)/4\times 100=61.7$$

$$F_{C_{20}美}=\left(\frac{f_{d_{54}美}}{G_{d_{54}}}+\frac{f_{d_{55}美}}{G_{d_{55}}}+\frac{f_{d_{56}美}}{G_{d_{56}}}+\frac{f_{d_{57}美}}{G_{d_{57}}}\right)/4\times 100$$

$$=\left(\frac{15.4}{50}+\frac{4.9}{5.7}+\frac{4.6}{5.4}+\frac{82.4}{100}\right)/4\times 100=71.1$$

$$F_{C_{20}德}=\left(\frac{f_{d_{54}德}}{G_{d_{54}}}+\frac{f_{d_{55}德}}{G_{d_{55}}}+\frac{f_{d_{56}德}}{G_{d_{56}}}+\frac{f_{d_{57}德}}{G_{d_{57}}}\right)/4\times 100$$

$$=\left(\frac{43.0}{50}+\frac{4.8}{5.7}+\frac{4.5}{5.4}+\frac{88.8}{100}\right)/4\times 100=85.6$$

7.3 创新生态发展成熟度单因子模糊评价

根据第6章的模糊评价隶属度计算方法，可得出 $B_1\sim B_5$ 层级下各单因子模糊隶属度的集合，并形成各级的模糊判断矩阵。

7.3.1 创新环境的模糊评价

1. 政策环境

因为 $F_{C_1中}=67.4\in(60,75)$，所以

$$S_{P_1中}=0,\quad S_{P_2中}=0,\quad S_{P_5中}=0$$

$$S_{P_3中}=\left|\frac{75-67.4}{75-60}\right|=0.51,\quad S_{P_4中}=\left|\frac{67.4-60}{75-60}\right|=0.49$$

因为 $F_{C_1美}=75.4\in(75,90)$，所以

$$S_{P_1美}=0,\quad S_{P_2美}=0,\quad S_{P_3美}=0$$

$$S_{P_4美}=\left|\frac{90-75.4}{90-75}\right|=0.97,\quad S_{P_5美}=\left|\frac{75.4-75}{90-75}\right|=0.03$$

因为 $F_{C_1德}=82.9\in(75,90)$，所以

$$S_{P_1德}=0,\quad S_{P_2德}=0,\quad S_{P_3德}=0$$

$$S_{P_4德}=\left|\frac{90-82.9}{90-75}\right|=0.47,\quad S_{P_5德}=\left|\frac{82.9-75}{90-75}\right|=0.53$$

2. 人文环境

因为 $F_{C_2中}=50.0\in(45,60)$，所以

$$S_{P_1中}=0,\quad S_{P_4中}=0,\quad S_{P_5中}=0$$

$$S_{P_2中}=\left|\frac{60-50.0}{60-45}\right|=0.67,\quad S_{P_3中}=\left|\frac{50.0-45}{60-45}\right|=0.33$$

因为 $F_{C_2美}=70.5\in(60,75)$，所以

$$S_{P_1美}=0,\quad S_{P_2美}=0,\quad S_{P_5美}=0$$

$$S_{P_3美}=\left|\frac{75-70.5}{75-60}\right|=0.30,\quad S_{P_4美}=\left|\frac{70.5-60}{75-60}\right|=0.70$$

因为 $F_{C_2德}=76.4\in(75,90)$，所以

$$S_{P_1德}=0,\quad S_{P_2德}=0,\quad S_{P_3德}=0$$

$$S_{P_4德}=\left|\frac{90-76.4}{90-75}\right|=0.91,\quad S_{P_5德}=\left|\frac{76.4-75}{90-75}\right|=0.09$$

3. 生态环境

因为 $F_{C_3中}=59.6\in(45,60)$，所以

$$S_{P1中}=0,\quad S_{P4中}=0,\quad S_{P5中}=0$$

$$S_{P2中}=\left|\frac{60-59.6}{60-45}\right|=0.03,\quad S_{P3中}=\left|\frac{59.6-45}{60-45}\right|=0.97$$

因为 $F_{C3美}=71.9\in(60,75)$，所以

$$S_{P1美}=0,\quad S_{P2美}=0,\quad S_{P5美}=0$$

$$S_{P3美}=\left|\frac{75-71.9}{75-60}\right|=0.21,\quad S_{P4美}=\left|\frac{71.9-60}{75-60}\right|=0.79$$

因为 $F_{C3德}=78.7\in(75,90)$，所以

$$S_{P1德}=0,\quad S_{P2德}=0,\quad S_{P3德}=0$$

$$S_{P4德}=\left|\frac{90-78.7}{90-75}\right|=0.75,\quad S_{P5德}=\left|\frac{78.7-75}{90-75}\right|=0.25$$

4. 风险环境

因为 $F_{C4中}=68.3\in(60,75)$，所以

$$S_{P1中}=0,\quad S_{P2中}=0,\quad S_{P5中}=0$$

$$S_{P3中}=\left|\frac{75-68.3}{75-60}\right|=0.45,\quad S_{P4中}=\left|\frac{68.3-60}{75-60}\right|=0.55$$

因为 $F_{C4美}=64.5\in(60,75)$，所以

$$S_{P1美}=0,\quad S_{P2美}=0,\quad S_{P5美}=0$$

$$S_{P3美}=\left|\frac{75-64.5}{75-60}\right|=0.70,\quad S_{P4美}=\left|\frac{64.5-60}{75-60}\right|=0.30$$

因为 $F_{C4德}=87.6\in(75,90)$，所以

$$S_{P1德}=0,\quad S_{P2德}=0,\quad S_{P3德}=0$$

$$S_{P4德}=\left|\frac{90-87.6}{90-75}\right|=0.16,\quad S_{P5德}=\left|\frac{87.6-75}{90-75}\right|=0.84$$

以上结果集合，形成 B_1 下属指标 $C_1\sim C_4$ 的模糊隶属度如表 7.2 所示，并形成评价集的隶属度矩阵，分别记作 $R_{B1中}$、$R_{B1美}$、$R_{B1德}$。

表 7.2　创新环境(B_1)下属指标的模糊隶属度

代码		分值	IES 成熟度评级				
			低	较低	中等	较高	高
政策环境 C_1	中	67.4	0	0	0.51	0.49	0
	美	75.4	0	0	0	0.97	0.03
	德	82.9	0	0	0	0.47	0.53
人文环境 C_2	中	50.0	0	0.67	0.33	0	0
	美	70.5	0	0	0.30	0.70	0
	德	76.4	0	0	0	0.91	0.09
生态环境 C_3	中	59.6	0	0.03	0.97	0	0
	美	71.9	0	0	0.21	0.79	0
	德	78.7	0	0	0	0.75	0.25
风险环境 C_4	中	68.3	0	0	0.45	0.55	0
	美	64.5	0	0	0.70	0.30	0
	德	87.6	0	0	0	0.16	0.84

$$R_{B1中} = \begin{bmatrix} 0 & 0 & 0.51 & 0.49 & 0 \\ 0 & 0.67 & 0.33 & 0 & 0 \\ 0 & 0.03 & 0.97 & 0 & 0 \\ 0 & 0 & 0.45 & 0.55 & 0 \end{bmatrix}$$

$$R_{B1美} = \begin{bmatrix} 0 & 0 & 0 & 0.97 & 0.03 \\ 0 & 0 & 0.30 & 0.70 & 0 \\ 0 & 0 & 0.21 & 0.79 & 0 \\ 0 & 0 & 0.70 & 0.30 & 0 \end{bmatrix}$$

$$R_{B1德}=\begin{bmatrix}0 & 0 & 0 & 0.47 & 0.53\\ 0 & 0 & 0 & 0.91 & 0.09\\ 0 & 0 & 0 & 0.75 & 0.25\\ 0 & 0 & 0 & 0.16 & 0.84\end{bmatrix}$$

由于

$$W_{B1}=\begin{bmatrix}0.3618\\ 0.3270\\ 0.1635\\ 0.1477\end{bmatrix}$$

所以

$$K_{B1中}=W_{B1}^{\mathrm{T}}\cdot R_{B1中}=[0 \quad 0.22 \quad 0.52 \quad 0.26 \quad 0]$$

$$K_{B1美}=W_{B1}^{\mathrm{T}}\cdot R_{B1美}=[0 \quad 0 \quad 0.24 \quad 0.75 \quad 0.01]$$

$$K_{B1德}=W_{B1}^{\mathrm{T}}\cdot R_{B1德}=[0 \quad 0 \quad 0 \quad 0.61 \quad 0.39]$$

7.3.2 创新机构的模糊评价

1. 产业机构

因为 $F_{C5中}=58.3\in(45,60)$，所以

$$S_{P1中}=0,\quad S_{P4中}=0,\quad S_{P5中}=0$$

$$S_{P2中}=\left|\frac{60-58.3}{60-45}\right|=0.11,\quad S_{P3中}=\left|\frac{58.3-45}{60-45}\right|=0.89$$

因为 $F_{C5美}=62.4\in(60,75)$，所以

$$S_{P1美}=0,\quad S_{P2美}=0,\quad S_{P5美}=0$$

$$S_{P3美}=\left|\frac{75-62.4}{75-60}\right|=0.84,\quad S_{P4美}=\left|\frac{62.4-60}{75-60}\right|=0.16$$

因为 $F_{C5德}=76.0\in(75,90)$，所以

$$S_{P1德}=0,\quad S_{P2德}=0,\quad S_{P3德}=0$$

$$S_{P4德}=\left|\frac{90-76.0}{90-75}\right|=0.93,\quad S_{P5德}=\left|\frac{76-75}{90-75}\right|=0.07$$

2. 政府机构

因为 $F_{C6中}=52.4\in(45,60)$，所以

$$S_{P1}=0,\quad S_{P4中}=0,\quad S_{P5中}=0$$

$$S_{P2中}=\left|\frac{60-52.4}{60-45}\right|=0.51,\quad S_{P3中}=\left|\frac{52.4-45}{60-45}\right|=0.49$$

因为 $F_{C6美}=36.1\in(30,45)$，所以

$$S_{P3美}=0,\quad S_{P4美}=0,\quad S_{P5美}=0$$

$$S_{P1美}=\left|\frac{45-36.1}{45-30}\right|=0.59,\quad S_{P2美}=\left|\frac{36.1-30}{45-30}\right|=0.41$$

因为 $F_{C6德}=35.1\in(30,45)$，所以

$$S_{P3德}=0,\quad S_{P4德}=0,\quad S_{P5德}=0$$

$$S_{P1德}=\left|\frac{45-35.1}{45-30}\right|=0.66,\quad S_{P2德}=\left|\frac{35.1-30}{45-30}\right|=0.34$$

3. 科研机构

因为 $F_{C7中}=40.7\in(30,45)$，所以

$$S_{P3中}=0,\quad S_{P4中}=0,\quad S_{P5中}=0$$

$$S_{P1中}=\left|\frac{45-40.7}{45-30}\right|=0.29,\quad S_{P2中}=\left|\frac{40.7-30}{45-30}\right|=0.71$$

因为 $F_{C7美}=96.0\in(90,100)$，所以

$$S_{P1美}=S_{P2美}=S_{P3美}=S_{P4美}=0,\quad S_{P5美}=1$$

因为 $F_{C7德}=56.4\in(45,60)$，所以

$$S_{P1德}=0,\quad S_{P4德}=0,\quad S_{P5德}=0$$

$$S_{P2德}=\left|\frac{60-56.4}{60-45}\right|=0.24,\quad S_{P3德}=\left|\frac{56.4-45}{60-45}\right|=0.76$$

4. 服务机构

因为 $F_{C8中}=36.3\in(30,45)$，所以

$$S_{P3中}=0,\quad S_{P4中}=0,\quad S_{P5中}=0$$

$$S_{P1中}=\left|\frac{45-36.3}{45-30}\right|=0.58,\quad S_{P2中}=\left|\frac{36.3-30}{45-30}\right|=0.42$$

因为 $F_{C8美}=55.8\in(45,60)$，所以

$$S_{P1美}=0,\quad S_{P4美}=0,\quad S_{P5美}=0$$

$$S_{P2美}=\left|\frac{60-55.8}{60-45}\right|=0.28,\quad S_{P3美}=\left|\frac{55.8-45}{60-45}\right|=0.72$$

因为 $F_{C8德}=95.0\in(90,100)$，所以

$$S_{P1德}=S_{P2德}=S_{P3德}=S_{P4德}=0,\quad S_{P5德}=1$$

5. 机构合作

因为 $F_{C9中}=65.6\in(60,75)$，所以

$$S_{P1中}=0,\quad S_{P2中}=0,\quad S_{P5中}=0$$

$$S_{P3中}=\left|\frac{75-65.6}{75-60}\right|=0.63,\quad S_{P4中}=\left|\frac{65.6-60}{75-60}\right|=0.37$$

因为 $F_{C9美}=50.6\in(45,60)$，所以

$$S_{P1美}=0,\quad S_{P4美}=0,\quad S_{P5美}=0$$

$$S_{P2美}=\left|\frac{60-50.6}{60-45}\right|=0.63,\quad S_{P3美}=\left|\frac{50.6-45}{60-45}\right|=0.37$$

因为 $F_{C9德}=63.1\in(60,75)$，所以

$$S_{P1德}=0,\quad S_{P2德}=0,\quad S_{P5德}=0$$

$$S_{P_3德}=\left|\frac{75-63.1}{75-60}\right|=0.79,\quad S_{P_4德}=\left|\frac{63.1-60}{75-60}\right|=0.21$$

以上结果集合，形成 B_2 下属指标 $C_5 \sim C_9$ 的模糊隶属度如表 7.3 所示，并形成评价集的隶属度矩阵，分别记作 $R_{B_2中}$、$R_{B_2美}$、$R_{B_2德}$。

表 7.3　创新机构(B_2)下属指标的模糊隶属度

代码		分值	IES 成熟度评级				
			低	较低	中等	较高	高
产业机构 C_5	中	58.3	0	0.11	0.89	0	0
	美	62.4	0	0	0.84	0.16	0
	德	76.0	0	0	0	0.93	0.07
政府机构 C_6	中	52.4	0	0.51	0.49	0	0
	美	36.1	0.59	0.41	0	0	0
	德	35.1	0.66	0.34	0	0	0
科研机构 C_7	中	40.7	0.29	0.71	0	0	0
	美	96.0	0	0	0	0	1
	德	56.4	0	0.24	0.76	0	0
服务机构 C_8	中	36.3	0.58	0.42	0	0	0
	美	55.8	0	0.28	0.72	0	0
	德	95.0	0	0	0	0	1
机构合作 C_9	中	65.6	0	0	0.63	0.37	0
	美	50.6	0	0.63	0.37	0	0
	德	63.1	0	0	0.79	0.21	0

$$R_{B2中}=\begin{bmatrix}0 & 0.11 & 0.89 & 0 & 0\\0 & 0.51 & 0.49 & 0 & 0\\0.29 & 0.71 & 0 & 0 & 0\\0.58 & 0.42 & 0 & 0 & 0\\0 & 0 & 0.63 & 0.37 & 0\end{bmatrix}$$

$$R_{B2美}=\begin{bmatrix}0 & 0 & 0.84 & 0.16 & 0\\0.59 & 0.41 & 0 & 0 & 0\\0 & 0 & 0 & 0 & 1\\0 & 0.28 & 0.72 & 0 & 0\\0 & 0.63 & 0.37 & 0 & 0\end{bmatrix}$$

$$R_{B2德}=\begin{bmatrix}0 & 0 & 0 & 0.93 & 0.07\\0.66 & 0.34 & 0 & 0 & 0\\0 & 0.24 & 0.76 & 0 & 0\\0 & 0 & 0 & 0 & 1\\0 & 0 & 0.79 & 0.21 & 0\end{bmatrix}$$

由于

$$W_{B2}=\begin{bmatrix}0.3158\\0.1456\\0.1921\\0.1542\\0.1921\end{bmatrix}$$

所以

$$K_{B2中}=W_{B2}^{\mathrm{T}}\cdot R_{B2中}=[0.15\quad 0.31\quad 0.47\quad 0.07\quad 0]$$

$$K_{B2美}=W_{B2}^{\mathrm{T}}\cdot R_{B2美}=[0.09\quad 0.22\quad 0.45\quad 0.05\quad 0.19]$$

$$K_{B2德} = W_{B2}^{T} \cdot R_{B2德} = [0.10 \quad 0.10 \quad 0.30 \quad 0.33 \quad 0.17]$$

7.3.3 创新资源的模糊评价

1. 创新经费

因为 $F_{C10中}=39.6\in(30,45)$，所以

$$S_{P3中}=0,\quad S_{P4中}=0,\quad S_{P5中}=0$$

$$S_{P1中}=\left|\frac{45-39.6}{45-30}\right|=0.36,\quad S_{P2中}=\left|\frac{39.6-30}{45-30}\right|=0.64$$

因为 $F_{C10美}=83.5\in(75,90)$，所以

$$S_{P1美}=0,\quad S_{P2美}=0,\quad S_{P3美}=0$$

$$S_{P4美}=\left|\frac{90-83.5}{90-75}\right|=0.43,\quad S_{P5美}=\left|\frac{83.5-75}{90-75}\right|=0.57$$

因为 $F_{C10德}=68.3\in(60,75)$，所以

$$S_{P1德}=0,\quad S_{P2德}=0,\quad S_{P5德}=0$$

$$S_{P3德}=\left|\frac{75-68.3}{75-60}\right|=0.45,\quad S_{P4德}=\left|\frac{68.3-60}{75-60}\right|=0.55$$

2. 知识基础

因为 $F_{C11中}=18.3\in(0,30)$，所以

$$S_{P2中}=S_{P3中}=S_{P4中}=S_{P5中}=0,\quad S_{P1中}=1$$

因为 $F_{C11美}=89.7\in(75,90)$，所以

$$S_{P1美}=0,\quad S_{P2美}=0,\quad S_{P3美}=0$$

$$S_{P4美}=\left|\frac{90-89.7}{90-75}\right|=0.02,\quad S_{P5美}=\left|\frac{89.7-75}{90-75}\right|=0.98$$

因为 $F_{C11德}=51.2\in(45,60)$，所以

$$S_{P1德}=0,\cdot S_{P4德}=0,\quad S_{P5德}=0$$

$$S_{P2德}=\left|\frac{60-51.2}{60-45}\right|=0.59,\quad S_{P3德}=\left|\frac{51.2-45}{60-45}\right|=0.41$$

3. 交通网络

因为$F_{C12中}=56.1\in(45,60)$，所以

$$S_{P1中}=0,\quad S_{P4中}=0,\quad S_{P5中}=0$$

$$S_{P2中}=\left|\frac{60-56.1}{60-45}\right|=0.26,\quad S_{P3中}=\left|\frac{56.1-45}{60-45}\right|=0.74$$

因为$F_{C12美}=93.8\in(90,100)$，所以

$$S_{P1美}=S_{P2美}=S_{P3美}=S_{P4美}=0,\quad S_{P5美}=1$$

因为$F_{C12德}=54.3\in(45,60)$，所以

$$S_{P1德}=0,\quad S_{P4德}=0,\quad S_{P5德}=0$$

$$S_{P2德}=\left|\frac{60-54.3}{60-45}\right|=0.38,\quad S_{P3德}=\left|\frac{54.3-45}{60-45}\right|=0.62$$

4. 信息网络

因为$F_{C13中}=51.1\in(45,60)$，所以

$$S_{P1中}=0,\quad S_{P4中}=0,\quad S_{P5中}=0$$

$$S_{P2中}=\left|\frac{60-51.1}{60-45}\right|=0.59,\quad S_{P3中}=\left|\frac{51.1-45}{60-45}\right|=0.41$$

因为$F_{C13美}=92.8\in(90,100)$，所以

$$S_{P1美}=S_{P2美}=S_{P3美}=S_{P4美}=0,\quad S_{P5美}=1$$

因为$F_{C13德}=78.8\in(75,90)$，所以

$$S_{P1德}=0,\quad S_{P2德}=0,\quad S_{P3德}=0$$

$$S_{P4德}=\left|\frac{90-78.8}{90-75}\right|=0.75,\quad S_{P5德}=\left|\frac{78.8-75}{90-75}\right|=0.25$$

以上结果集合，形成 B_3 下属指标 $C_{10}\sim C_{13}$ 的模糊隶属度如表 7.4 所示，并形成评价集的隶属度矩阵，分别记作 $R_{B_3中}$、$R_{B_3美}$、$R_{B_3德}$。

表 7.4　创新资源(B_3)下属指标的模糊隶属度

代码		分值	IES 成熟度评级				
			低	较低	中等	较高	高
创新经费 C_{10}	中	39.6	0.36	0.64	0	0	0
	美	83.5	0	0	0	0.43	0.57
	德	68.3	0	0	0.45	0.55	0
知识基础 C_{11}	中	18.3	1	0	0	0	0
	美	89.7	0	0	0	0.02	0.98
	德	51.2	0	0.59	0.41	0	0
交通网络 C_{12}	中	56.1	0	0.26	0.74	0	0
	美	93.8	0	0	0	0	1
	德	54.3	0	0.38	0.62	0	0
信息网络 C_{13}	中	51.1	0	0.59	0.41	0	0
	美	92.8	0	0	0	0	1
	德	78.8	0	0	0	0.75	0.25

$$R_{B_3中}=\begin{bmatrix}0.36 & 0.64 & 0 & 0 & 0\\ 1 & 0 & 0 & 0 & 0\\ 0 & 0.26 & 0.74 & 0 & 0\\ 0 & 0.59 & 0.41 & 0 & 0\end{bmatrix}$$

$$R_{B_3美}=\begin{bmatrix}0 & 0 & 0 & 0.43 & 0.57\\ 0 & 0 & 0 & 0.02 & 0.98\\ 0 & 0 & 0 & 0 & 1\\ 0 & 0 & 0 & 0 & 1\end{bmatrix}$$

$$R_{B3德} = \begin{bmatrix} 0 & 0 & 0.45 & 0.55 & 0 \\ 0 & 0.59 & 0.41 & 0 & 0 \\ 0 & 0.38 & 0.62 & 0 & 0 \\ 0 & 0 & 0 & 0.75 & 0.25 \end{bmatrix}$$

由于

$$W_{B3} = \begin{bmatrix} 0.3647 \\ 0.2771 \\ 0.1252 \\ 0.2330 \end{bmatrix}$$

所以

$$K_{B3中} = W_{B3}^{T} \cdot R_{B3中} = [0.41 \quad 0.40 \quad 0.19 \quad 0 \quad 0]$$

$$K_{B3美} = W_{B3}^{T} \cdot R_{B3美} = [0 \quad 0 \quad 0 \quad 0.16 \quad 0.84]$$

$$K_{B3德} = W_{B3}^{T} \cdot R_{B3德} = [0 \quad 0.20 \quad 0.36 \quad 0.38 \quad 0.06]$$

7.3.4 创新人才的模糊评价

1. 人才分布

因为 $F_{C14中} = 27.5 \in (0,30)$，所以

$$S_{P2中} = S_{P3中} = S_{P4中} = S_{P5中} = 0, \quad S_{P1中} = 1$$

因为 $F_{C14美} = 58.8 \in (45,60)$，所以

$$S_{P1美} = 0, \quad S_{P4美} = 0, \quad S_{P5美} = 0$$

$$S_{P2美} = \left| \frac{60 - 58.8}{60 - 45} \right| = 0.08, \quad S_{P3美} = \left| \frac{58.8 - 45}{60 - 45} \right| = 0.92$$

因为 $F_{C14德} = 60.7 \in (60,75)$，所以

$$S_{P_1德}=0,\quad S_{P_2德}=0,\quad S_{P_5德}=0$$

$$S_{P_3德}=\left|\frac{75-60.7}{75-60}\right|=0.95,\quad S_{P_4德}=\left|\frac{60.7-60}{75-60}\right|=0.05$$

2. 人才培育

因为 $F_{C15中}=61.2\in(60,75)$，所以

$$S_{P_1中}=0,\quad S_{P_2中}=0,\quad S_{P_5中}=0$$

$$S_{P_3中}=\left|\frac{75-61.2}{75-60}\right|=0.92,\quad S_{P_4中}=\left|\frac{61.2-60}{75-60}\right|=0.08$$

因为 $F_{C15美}=73.5\in(60,75)$，所以

$$S_{P_1美}=0,\quad S_{P_2美}=0,\quad S_{P_5美}=0$$

$$S_{P_3美}=\left|\frac{75-73.5}{75-60}\right|=0.10,\quad S_{P_4美}=\left|\frac{73.5-60}{75-60}\right|=0.90$$

因为 $F_{C15德}=74.6\in(60,75)$，所以

$$S_{P_1德}=0,\quad S_{P_2德}=0,\quad S_{P_5德}=0$$

$$S_{P_3德}=\left|\frac{75-74.6}{75-60}\right|=0.03,\quad S_{P_4德}=\left|\frac{74.6-60}{75-60}\right|=0.97$$

3. 创新激情

因为 $F_{C16中}=54.8\in(45,60)$，所以

$$S_{P_1中}=0,\quad S_{P_4中}=0,\quad S_{P_5中}=0$$

$$S_{P_2中}=\left|\frac{60-54.8}{60-45}\right|=0.35,\quad S_{P_3中}=\left|\frac{54.8-45}{60-45}\right|=0.65$$

因为 $F_{C16美}=68.3\in(60,75)$，所以

$$S_{P_1美}=0,\quad S_{P_2美}=0,\quad S_{P_5美}=0$$

$$S_{P_3美}=\left|\frac{75-68.3}{75-60}\right|=0.45,\quad S_{P_4美}=\left|\frac{68.3-60}{75-60}\right|=0.55$$

因为 $F_{C16德}=48.6\in(45,60)$，所以

$$S_{P1德}=0,\quad S_{P4德}=0,\quad S_{P5德}=0$$

$$S_{P2德}=\left|\frac{60-48.6}{60-45}\right|=0.76,\quad S_{P3德}=\left|\frac{48.6-45}{60-45}\right|=0.24$$

4. 人才流动

因为$F_{C17中}=21.4\in(0,30)$，所以

$$S_{P2中}=S_{P3中}=S_{P4中}=S_{P5中}=0,\quad S_{P1中}=1$$

因为$F_{C17美}=66.5\in(60,75)$，所以

$$S_{P1美}=0,\quad S_{P2美}=0,\quad S_{P5美}=0$$

$$S_{P3美}=\left|\frac{75-66.5}{75-60}\right|=0.57,\quad S_{P4美}=\left|\frac{66.5-60}{75-60}\right|=0.43$$

因为$F_{C17德}=45.4\in(45,60)$，所以

$$S_{P1德}=0,\quad S_{P4德}=0,\quad S_{P5德}=0$$

$$S_{P2德}=\left|\frac{60-45.4}{60-45}\right|=0.97,\quad S_{P3德}=\left|\frac{45.4-45}{60-45}\right|=0.03$$

以上结果集合，形成B_4下属指标$C_{14}\sim C_{17}$的模糊隶属度如表7.5所示，并形成评价集的隶属度矩阵，分别记作$R_{B4中}$、$R_{B4美}$、$R_{B4德}$。

表7.5 创新人才(B_4)下属指标的模糊隶属度

代码		分值	IES成熟度评级				
			低	较低	中等	较高	高
人才分布C_{14}	中	27.5	1	0	0	0	0
	美	58.8	0	0.08	0.92	0	0
	德	60.7	0	0	0.95	0.05	0
人才培育C_{15}	中	61.2	0	0	0.92	0.08	0
	美	73.5	0	0	0.10	0.90	0
	德	74.6	0	0	0.03	0.97	0

续表

代码		分值	IES 成熟度评级				
			低	较低	中等	较高	高
创新激情 C_{16}	中	54.8	0	0.35	0.65	0	0
	美	68.3	0	0	0.45	0.55	0
	德	48.6	0	0.76	0.24	0	0
人才流动 C_{17}	中	21.4	1	0	0	0	0
	美	66.5	0	0	0.57	0.43	0
	德	45.4	0	0.97	0.03	0	0

$$R_{B4中} = \begin{bmatrix} 1 & 0 & 0 & 0 & 0 \\ 0 & 0 & 0.92 & 0.08 & 0 \\ 0 & 0.35 & 0.65 & 0 & 0 \\ 1 & 0 & 0 & 0 & 0 \end{bmatrix}$$

$$R_{B4美} = \begin{bmatrix} 0 & 0.08 & 0.92 & 0 & 0 \\ 0 & 0 & 0.10 & 0.90 & 0 \\ 0 & 0 & 0.45 & 0.55 & 0 \\ 0 & 0 & 0.57 & 0.43 & 0 \end{bmatrix}$$

$$R_{B4德} = \begin{bmatrix} 0 & 0 & 0.95 & 0.05 & 0 \\ 0 & 0 & 0.03 & 0.97 & 0 \\ 0 & 0.76 & 0.24 & 0 & 0 \\ 0 & 0.97 & 0.03 & 0 & 0 \end{bmatrix}$$

由于

$$W_{B4}=\begin{bmatrix}0.1497\\0.3940\\0.2593\\0.1970\end{bmatrix}$$

所以

$$K_{B4中}=W_{B4}^{\mathrm{T}}\cdot R_{B4中}=[0.35\quad 0.09\quad 0.53\quad 0.03\quad 0]$$

$$K_{B4美}=W_{B4}^{\mathrm{T}}\cdot R_{B4美}=[0\quad 0.01\quad 0.41\quad 0.58\quad 0]$$

$$K_{B4德}=W_{B4}^{\mathrm{T}}\cdot R_{B4德}=[0\quad 0.39\quad 0.22\quad 0.39\quad 0]$$

7.3.5 创新市场的模糊评价

1. 创新需求

因为 $F_{C18中}=38.9\in(30,45)$，所以

$$S_{P_3中}=0,\quad S_{P_4中}=0,\quad S_{P_5中}=0$$

$$S_{P_1中}=\left|\frac{45-38.9}{45-30}\right|=0.41,\quad S_{P_2中}=\left|\frac{38.9-30}{45-30}\right|=0.59$$

因为 $F_{C18美}=68.0\in(60,75)$，所以

$$S_{P_1美}=0,\quad S_{P_2美}=0,\quad S_{P_5美}=0$$

$$S_{P_3美}=\left|\frac{75-68.5}{75-60}\right|=0.47,\quad S_{P_4美}=\left|\frac{68.0-60}{75-60}\right|=0.53$$

因为 $F_{C18德}=54.1\in(45,60)$，所以

$$S_{P_1德}=0,\quad S_{P_4德}=0,\quad S_{P_5德}=0$$

$$S_{P_2德}=\left|\frac{60-54.1}{60-45}\right|=0.39,\quad S_{P_3德}=\left|\frac{54.1-45}{60-45}\right|=0.61$$

2. 创新绩效

因为 $F_{C_{19}中}=45.0\in(30,45)$，所以

$$S_{P_1中}=S_{P_3中}=S_{P_4中}=S_{P_5中}=0,\quad S_{P_2中}=1$$

因为 $F_{C_{19}美}=83.7\in(75,90)$，所以

$$S_{P_1美}=0,\quad S_{P_2美}=0,\quad S_{P_3美}=0$$

$$S_{P_4美}=\left|\frac{90-83.7}{90-75}\right|=0.42,\quad S_{P_5美}=\left|\frac{83.7-75}{90-75}\right|=0.58$$

因为 $F_{C_{19}德}=68.5\in(60,75)$，所以

$$S_{P_1德}=0,\quad S_{P_2德}=0,\quad S_{P_5德}=0$$

$$S_{P_3德}=\left|\frac{75-68.5}{75-60}\right|=0.43,\quad S_{P_4德}=\left|\frac{68.5-60}{75-60}\right|=0.57$$

3. 市场机制

因为 $F_{C_{20}中}=61.7\in(60,75)$，所以

$$S_{P_1中}=0,\quad S_{P_2中}=0,\quad S_{P_5中}=0$$

$$S_{P_3中}=\left|\frac{75-61.7}{75-60}\right|=0.89,\quad S_{P_4中}=\left|\frac{61.7-60}{75-60}\right|=0.11$$

因为 $F_{C_{20}美}=71.1\in(60,75)$，所以

$$S_{P_1美}=0,\quad S_{P_2美}=0,\quad S_{P_5美}=0$$

$$S_{P_3美}=\left|\frac{75-71.1}{75-60}\right|=0.26,\quad S_{P_4美}=\left|\frac{71.1-60}{75-60}\right|=0.74$$

因为 $F_{C_{20}德}=85.6\in(75,90)$，所以

$$S_{P_1德}=0,\quad S_{P_2德}=0,\quad S_{P_3德}=0$$

$$S_{P_4德}=\left|\frac{90-85.6}{90-75}\right|=0.29,\quad S_{P_5德}=\left|\frac{85.6-75}{90-75}\right|=0.71$$

以上结果集合，形成 B_5 下属指标 $C_{18}\sim C_{20}$ 的模糊隶属度如表 7.6 所示，并

形成评价集的隶属度矩阵，分别记作 $R_{B5中}$、$R_{B5美}$、$R_{B5德}$。

表 7.6　创新市场（B_5）下属指标的模糊隶属度

代码		分值	IES 成熟度评级				
			低	较低	中等	较高	高
创新需求 C_{18}	中	38.9	0.41	0.59	0	0	0
	美	68.0	0	0	0.47	0.53	0
	德	54.1	0	0.39	0.61	0	0
创新绩效 C_{19}	中	45.0	0	1	0	0	0
	美	83.7	0	0	0	0.42	0.58
	德	68.5	0	0	0.43	0.57	0
市场机制 C_{20}	中	61.7	0	0	0.89	0.11	0
	美	71.1	0	0	0.26	0.74	0
	德	85.6	0	0	0	0.29	0.71

$$R_{B5中}=\begin{bmatrix}0.41 & 0.59 & 0 & 0 & 0\\ 0 & 1 & 0 & 0 & 0\\ 0 & 0 & 0.89 & 0.11 & 0\end{bmatrix}$$

$$R_{B5美}=\begin{bmatrix}0 & 0 & 0.47 & 0.53 & 0\\ 0 & 0 & 0 & 0.42 & 0.58\\ 0 & 0 & 0.26 & 0.74 & 0\end{bmatrix}$$

$$R_{B5德}=\begin{bmatrix}0 & 0.39 & 0.61 & 0 & 0\\ 0 & 0 & 0.43 & 0.57 & 0\\ 0 & 0 & 0 & 0.29 & 0.71\end{bmatrix}$$

由于

$$W_{B5}=\begin{bmatrix}0.3108\\ 0.1958\\ 0.4934\end{bmatrix}$$

所以

$$K_{B5中}=W_{B5}^{\mathrm{T}}\cdot R_{B5中}=[0.13\quad 0.38\quad 0.44\quad 0.05\quad 0]$$

$$K_{B5美}=W_{B5}^{\mathrm{T}}\cdot R_{B5美}=[0\quad 0\quad 0.28\quad 0.61\quad 0.11]$$

$$K_{B5德}=W_{B5}^{\mathrm{T}}\cdot R_{B5德}=[0\quad 0.12\quad 0.27\quad 0.26\quad 0.35]$$

7.4 创新生态发展成熟度综合模糊评价

7.4.1 中国部分

通过因子层的模糊评价,得到主因子模糊评价向量

$$K_{B1中}=[0\quad 0.22\quad 0.52\quad 0.26\quad 0]$$

$$K_{B2中}=[0.15\quad 0.31\quad 0.47\quad 0.07\quad 0]$$

$$K_{B3中}=[0.41\quad 0.40\quad 0.19\quad 0\quad 0]$$

$$K_{B4中}=[0.35\quad 0.09\quad 0.53\quad 0.03\quad 0]$$

$$K_{B5中}=[0.13\quad 0.38\quad 0.44\quad 0.05\quad 0]$$

由它们组成新的模糊矩阵,记作 $T_{中}$:

$$T_{中}=\begin{bmatrix} 0 & 0.22 & 0.52 & 0.26 & 0 \\ 0.15 & 0.31 & 0.47 & 0.07 & 0 \\ 0.41 & 0.40 & 0.19 & 0 & 0 \\ 0.35 & 0.09 & 0.53 & 0.03 & 0 \\ 0.13 & 0.38 & 0.44 & 0.05 & 0 \end{bmatrix}$$

则中国创新生态发展成熟度的综合模糊评价结果为

$$Z_{中} = W_A \cdot T_{中} = [0.19 \quad 0.25 \quad 0.46 \quad 0.10 \quad 0]$$

7.4.2 美国部分

通过因子层的模糊评价，得到主因子模糊评价向量

$$K_{B1美} = [0 \quad 0 \quad 0.24 \quad 0.75 \quad 0.01]$$

$$K_{B2美} = [0.09 \quad 0.22 \quad 0.45 \quad 0.05 \quad 0.19]$$

$$K_{B3美} = [0 \quad 0 \quad 0 \quad 0.16 \quad 0.84]$$

$$K_{B4美} = [0 \quad 0.01 \quad 0.41 \quad 0.58 \quad 0]$$

$$K_{B5美} = [0 \quad 0 \quad 0.28 \quad 0.61 \quad 0.11]$$

由它们组成新的模糊矩阵，记作 $T_{美}$：

$$T_{美} = \begin{bmatrix} 0 & 0 & 0.24 & 0.75 & 0.01 \\ 0.09 & 0.22 & 0.45 & 0.05 & 0.19 \\ 0 & 0 & 0 & 0.16 & 0.84 \\ 0 & 0.01 & 0.41 & 0.58 & 0 \\ 0 & 0 & 0.28 & 0.61 & 0.11 \end{bmatrix}$$

则美国创新生态发展成熟度的综合模糊评价结果为

$$Z_{美} = W_A \cdot T_{美} = [0.02 \quad 0.04 \quad 0.30 \quad 0.48 \quad 0.16]$$

7.4.3 德国部分

通过因子层的模糊评价，得到主因子模糊评价向量

$$K_{B1德} = [0 \quad 0 \quad 0 \quad 0.61 \quad 0.39]$$

$$K_{B2德} = [0.10 \quad 0.10 \quad 0.30 \quad 0.33 \quad 0.17]$$

$$K_{B3德} = [0 \quad 0.20 \quad 0.36 \quad 0.38 \quad 0.06]$$

$$K_{B4德} = [0 \quad 0.39 \quad 0.22 \quad 0.39 \quad 0]$$

$$K_{B5德} = [0 \quad 0.12 \quad 0.27 \quad 0.26 \quad 0.35]$$

由它们组成新的模糊矩阵，记作 $T_{德}$：

$$T_{德} = \begin{bmatrix} 0 & 0 & 0 & 0.61 & 0.39 \\ 0.10 & 0.10 & 0.30 & 0.33 & 0.17 \\ 0 & 0.20 & 0.36 & 0.38 & 0.06 \\ 0 & 0.39 & 0.22 & 0.39 & 0 \\ 0 & 0.12 & 0.27 & 0.26 & 0.35 \end{bmatrix}$$

则德国创新生态发展成熟度的综合模糊评价结果为

$$Z_{德} = W_A \cdot T_{德} = [0.02 \quad 0.16 \quad 0.20 \quad 0.42 \quad 0.20]$$

7.5 中、美、德创新生态发展成熟度比较分析

7.5.1 综合比较分析

中、美、德三国 Z 数值的求得表明创新生态发展成熟度评价的完成。通过计算，我们得到了中、美、德三国在 2012 年国家创新生态成熟度的实测结果。结果显示：

中国：“低成熟度”的隶属度是 0.19，“较低成熟度”的隶属度是 0.25，“中等

成熟度”的隶属度是0.46,“较高成熟度”的隶属度是0.1,“高成熟度”的隶属度是0,如图7.1所示。隶属度最高的两项是“中等”(0.46)和“较低”(0.25),因此,2012年中国创新生态发展的总体成熟度基本处于中等偏下水平。

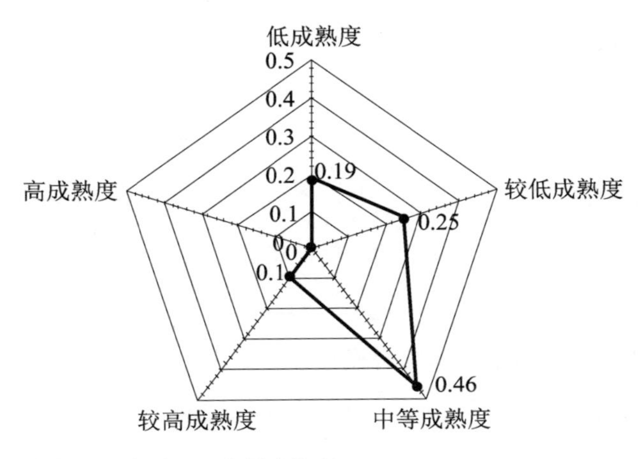

图7.1 中国IES发展成熟度

美国:“低成熟度”的隶属度是0.02,“较低成熟度”的隶属度是0.04,“中等成熟度”的隶属度是0.3,“较高成熟度”的隶属度是0.48,“高成熟度”的隶属度是0.16,如图7.2所示。隶属度最高的两项是“较高”(0.48)和“中等”(0.3),因此,2012年美国创新生态发展的总体成熟度基本处于中等偏上水平。

德国:“低成熟度”的隶属度是0.02,“较低成熟度”的隶属度是0.16,“中等成熟度”的隶属度是0.2,“较高成熟度”的隶属度是0.42,“高成熟度”的隶属度是0.2,如图7.3所示。隶属度最高的两项是“较高”(0.42)和“中等”(0.2),得分较之美国有一定差距,但创新生态发展的总体成熟度仍基本处于中等偏上水平。

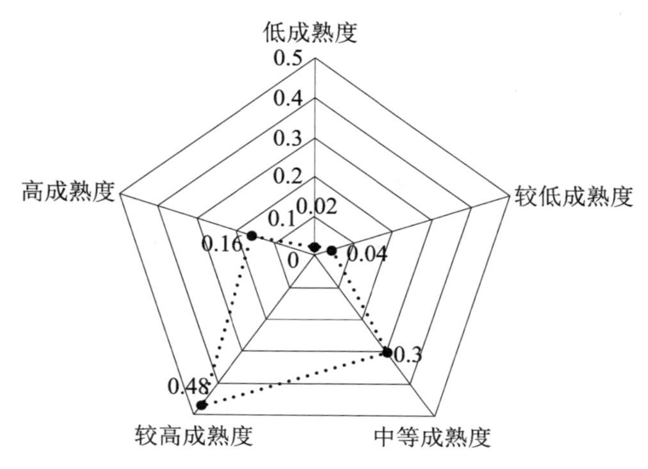

图 7.2　美国 IES 发展成熟度

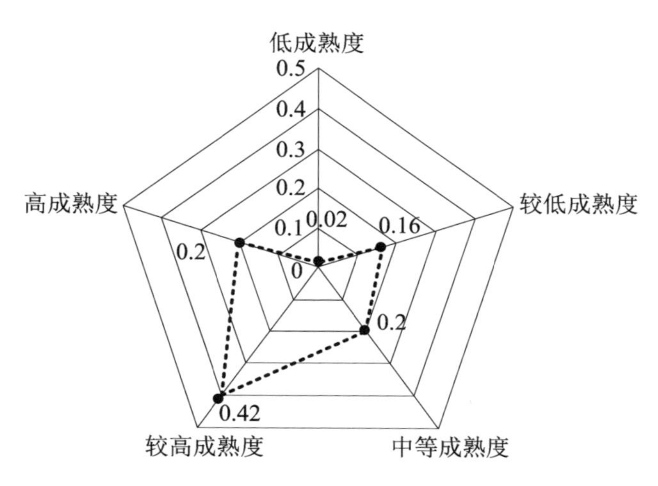

图 7.3　德国 IES 发展成熟度

7.5.2 创新环境比较分析

就创新环境维度而言，评价结果显示：三国的得分总体上比较均衡，大多保持在 60 分以上。德国在四个分项评价中均保有小幅优势，尤其是在风险环境中，由于战略地位和区域关系等因素，德国的得分与中、美拉开了一定距离。考虑到庞大的人口基数和由此造成的环境承载压力，不难理解中国在生态环境和人文环境两个分项上得分偏低。具体比较结果如图 7.4 所示。

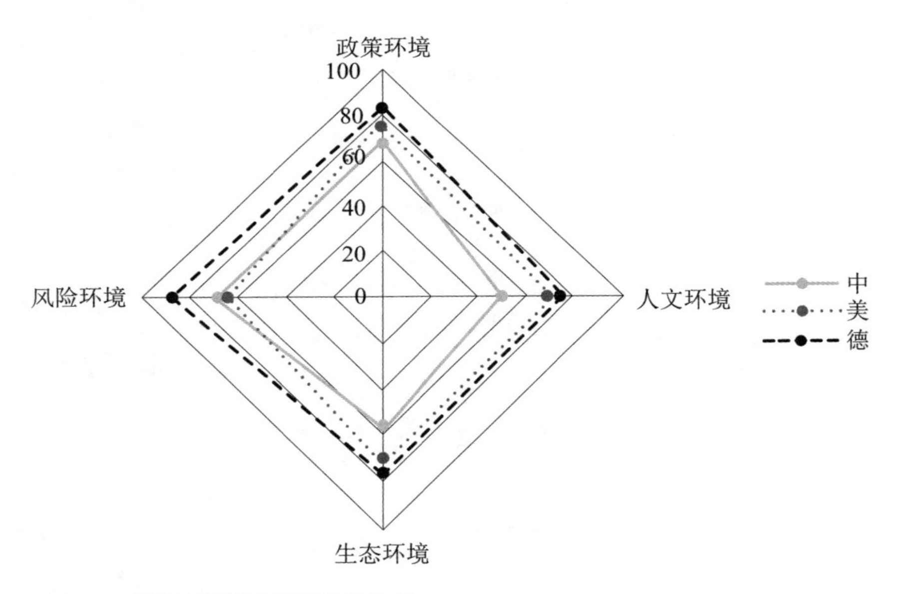

图 7.4　创新环境维度国别比较结果

7.5.3 创新机构比较分析

在创新机构维度中，三国的得分分布出现了比较大的差别。中国的综合得分呈现均匀的分布态势，且在政府机构和机构合作两项中处于领先位次，这可以看出政府在主导创新活动、融通创新参与方等方面较其他两国发挥着更大作用。美国和德国分别在科研机构和服务机构两项中接近满分，但其他几项得分有的在 60～80 之间，有的在 60 以下，综合态势较为失衡。具体比较结果如图 7.5 所示。

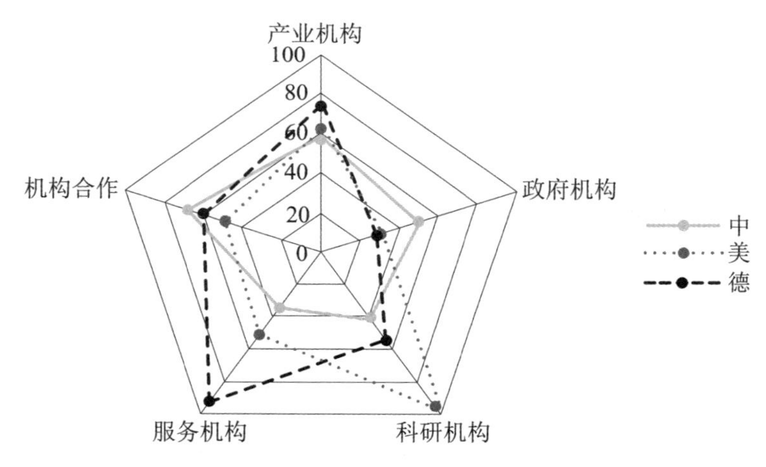

图 7.5　创新机构维度国别比较结果

7.5.4 创新资源比较分析

对创新资源维度的测度体现了美国在这一领域的引领地位，四个分项的得分都在80以上，远远超过其他两国。中、德共同的短板在“知识基础”项上，得分都未能超过60，中国甚至在20以下，在体现创新软实力核心资源的知识层面，无论是基础研究（科技论文）还是应用技术（专利），中国与发达国家都存在很大的差距，这也是五个维度中三国数据相差悬殊的一个。具体比较结果如图7.6所示。

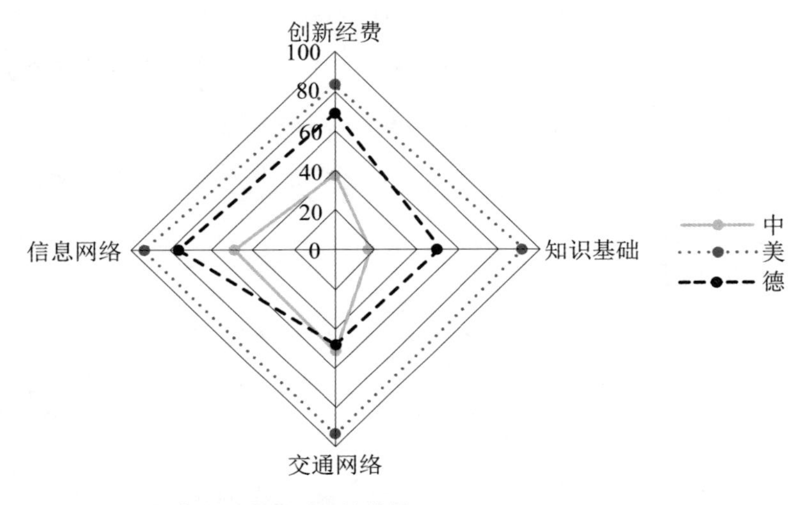

图7.6 创新资源维度国别比较结果

7.5.5 创新人才比较分析

在创新人才的测度中，相对于国际高线，三国各项的得分普遍较低，都在80以下，美国在“人才流动”和“创新激情”两项上占有一定优势，在其余两项上则略逊于德国。在体现增量的创新激情上，中国表现出了追赶的潜力，在体现存量布局的“人才分布”和体现互通活跃程度的“人才流动”上，中国相比其他两国存在不小的差距，达到其他两国平均水平似乎还需要较长周期的积累。具体比较结果如图7.7所示。

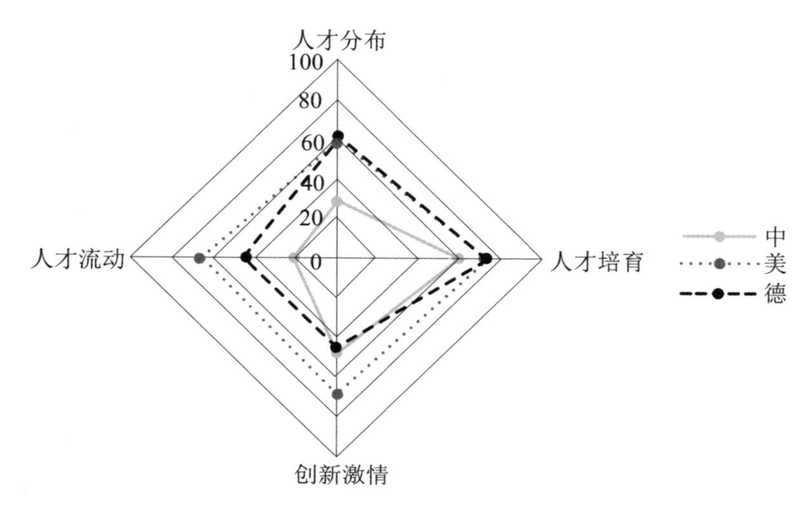

图 7.7　创新人才维度国别比较结果

7.5.6　创新市场比较分析

在创新市场维度中，美国在“创新绩效”、德国在“市场机制”中的得分都超过 80，且它们在“创新需求”中的得分相近，且绘制出的整体雷达图形拟合度较高；中国在“市场机制”一项中的得分超过 60，紧追美国、德国，在其余两项中则与其他两国差距不少。

综合五个维度的评价结果，我们大体可以总结出以下一些要点：

（1）一国的创新生态成熟度与自身资源禀赋、国际定位和政府的执政理念关联密切，也有深层次的文化历史因素，需要相当长的时期塑造成形，现有的状态是上一个时期发展的结果。要想面向未来改善创新生态面貌，就需要着眼当下进行结构式变革。

（2）从总体上看，美国的创新生态基本达到了较高成熟度的要求，德国的得分紧随其后，中国的成熟度结果则处于中等偏下水平(如图 7.8 所示)。

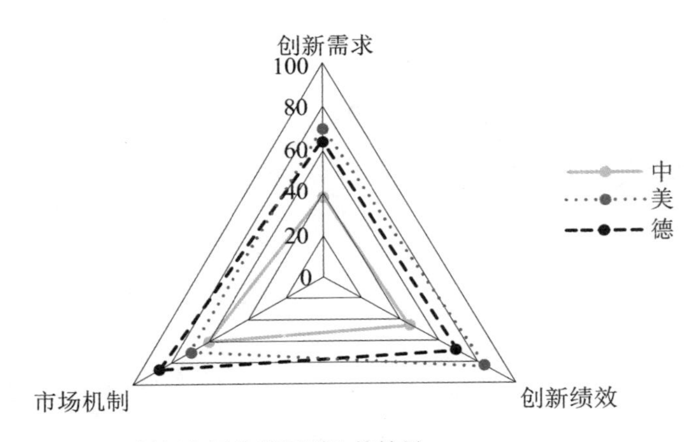

图 7.8 创新市场维度国别比较结果

(3) 从分项上看，美国的创新资源维度优势明显且得分均匀，德国在创新环境维度上领跑；中国在综合得分上尚处于后发态势，但其在三项创新机构维度中的数据可以比肩美、德，在政策环境、创新激情、市场机制等分维度中的表现也具有较大的提升潜力。

第8章 中国创新生态发展的启示和政策思考

在对国家创新生态系统进行理论阐释、评价设计和实证测度的基础上，本章回到中国现实，按照创新生态系统主体视角，从指标体系中选择最能展现其演化状态的五项指标，结合中国与美国、德国同期和自身纵向比较结果，对中国创新生态中的各类主体提出策略性建议。最后，我们以苏州纳米产业和区域治理的现实案例为依托，解析与展现了当前发展语境下中国土壤中一个较成熟的创新生态发育出的格局与状态。

8.1 大型企业和互联网巨头

8.1.1 代表性指标比较与分析

中国与美国、德国同期和自身纵向比较(一)如表8.1所示。

从三国代表性指标比较结果可以看出，d_1 代表了大型企业创新的制度和环境因素，其他四项则是企业或行业创新投入、产出和组织运营模式创新的表现。中国在 d_{53} 的比较中领先于美、德两国，说明高科技产品的出口比例不断上升，在出口领域已经逐渐摆脱价值链底端的位置，向着知识和技术密集的方向跃迁。在其他各项中，中国与美、德两国还存在着一定的差距，这表明：中国的追赶要注意加强商业与研发、技术的融通，思考更多与知识管理相关的价值创造模式。

表8.1　中国与美国、德国同期和自身纵向比较(一)

代表性指标	中国（2008年）	中国（2012年）	美国（2012年）	德国（2012年）
知识产权保护程度(d_1)	3.9	3.9	5.2	5.6
企业研发投入(d_{15})	4.2	4.1	5.3	5.5
B2C电子商务使用情况(d_{35})		4.9	6.0	5.7
企业层面的技术吸收(d_{49})	5.1	4.7	5.9	5.9
高科技产品出口占全部制造业出口的比例(d_{53})	21	26	18	16

从中国自身纵向比较结果可以看出，d_1 的数值基本持平，d_{53}的数值有了明显上升，这是中国在外向需求疲软的大背景下寻求战略转变和产业结构升级的具体体现。d_{15}和 d_{49}的数值都有了不同程度的回落，这说明企业在形成与保持稳定的技术发展依赖路径方面存在缺陷，需要提高创新驱动发展的前瞻意识，全心全意打造科技创新引领战略升级的主动权。d_{35}由于2008年的数据不可获得，因此无法进行比较。

8.1.2　主体策略：生态塑造与开放布局

大型企业是市场经济中实力较强的领跑者，互联网巨头是在互联网经济的机遇期进入，并逐渐成长为市场和用户份额较大、拥有规则制定和话语权的行业引领企业。它们在追求创新的道路上面临着相似的困惑。

对大型企业来说，短期看来已有的业务架构和管理经验已被证明其具有历史与现实有效性，缺乏足够的创新理由和解构动力；放弃成熟的商业实践，转而尝试前景未明的新业务新方法，确实本身就有不小的风险。对新崛起的互联网巨头而言，它们的脱颖而出是曾经发生的市场选择的结果，代表着用户基数和点击率的优势地位，这种发展惯性也能让它们在一段周期内保持领先态势。

然而，创新对于上述两类企业却又是十分必要的，可直接决定其生死存亡。在大公司中，膨胀的体制被僵化的官僚层级管理所束缚，从创新动议、高层决策到执行的传导回路过长，加之大量初创公司对市场份额和客户群的蚕食，使得大公司会不断遇到发展拐点，进而导致消亡的周期越来越短。目前的中国互联网经济也正面临着一场重量级的竞争，巨头们以开放竞争之名，抢占互联网支付、金融、个体商业等风口，处于行业领跑位置的企业随时面临着被颠覆的危险。因此，任何一家大型企业和互联网巨头都丝毫不敢放慢创新的步伐。

在这里，我们运用两组实例来分析上述两类企业在创新生态情境下的创新思考和路径选择。首先是对传统的省域大型制造企业——安徽江淮汽车集团股份有限公司、安徽安凯汽车股份有限公司发展新能源汽车战略选择的刻画（后者在 21 世纪初成为前者控股的上市公司）。

在 20 世纪 90 年代中后期的中国国家科技产业战略中，就已经提出了新能源汽车的发展愿景，并且这一意愿在进入 21 世纪初显得愈发强烈。这一方面是因为已经看到新能源是未来汽车产业十分可能的主导发展路径，如果不在起步探索期布局很有可能会失去未来空间；另一方面，由于在燃油车领域，虽然经过近乎全面开放合资的实践，中国自主品牌整车企业依然在中高端领域严重缺乏自主创新与自主发展的技术能力，因此新能源路径被不少企业视为弯道超车的优选方案。但是,投资生产新能源汽车的风险在整个产业的萌芽期是不言而喻的,先行者成为铺路石的概率也同样令人担忧。

位于安徽省合肥市的两家大型整车企业江淮汽车公司和安凯客车公司在对产业趋势和自身优势进行周密论证后,在中国汽车行业率先行动,利用它们在电机电控领域多年的技术优势研发全电动的客车和轿车。作为制造的核心主体,两家企业一方面积极整合产业内部资源,与拥有磷酸铁锂电池研发优势的企业深度合作;另一方面组织创新生态中的零部件生产商与政府、研究机构、投融资方等建立多边合作,甚至与竞争对手密切合作,寻求有益互补(王明,吴幸泽,2015)。江淮汽车公司成立的新能源汽车研究院促进了官产学研各方围绕核心技术联盟的融合,这种着眼全球化的资源布局和配置集聚了研发合力,也平摊了成本和风险,构筑了一个多方共赢的创新生态。到2010年后,在中国汽车行业体量并未居前列的江淮汽车公司和安凯客车公司已经成为中国电动汽车第一方阵的成员。

另一个案例是关于互联网领域共生环境下的竞争与合作。2013年以来,在互联网领域出现了几起引人瞩目的合并事件:提供线上生活服务的大众点评和美团、提供网约租车服务的滴滴和快的、提供综合信息平台的58同城和赶集网完成了并购。这几起事件的背景有诸多相似之处:合并前是所在行业中的主要竞争对手,都获得了风险资本的青睐,然而在竞争压力下长期巨额补贴用户的商业模式持续一段时间后均遭遇了发展瓶颈,最终来自市场与财务数据的巨大压力推动了合并。但一个非常特别的现象是,合并后的企业仍保留各自品牌的独立性,业务平行发展。这说明在不断演化的创新环境下,竞争与合作关系的切换是符合各方利益的,于是诞生了奇妙的竞合组织。这种切换还催生出系统内部的新业态、新策略:从事餐点外卖业务的百度外卖和饿了么的相互竞争,送餐骑士这一承担外送服务的从业群体应运而生。而在网络租车领域,白热化的竞争使得各方提供差异化服务，创造长尾价值；快车、顺风车、拼车等多样化模式先后面市，滴滴优步追求方便快捷、易到注重用户选择、神州公司面向高端的品牌特色和市场定位也逐渐清晰，从创新生态的视角思考，这也是各方避免发生生态位重叠，各自寻求更大价值空间的协同化尝试。

8.2 中小创新创业者

8.2.1 代表性指标比较与分析

中国与美国、德国同期和自身纵向比较(二)如表 8.2 所示。

表 8.2 中国与美国、德国同期和自身纵向比较(二)

代表性指标	中国(2008 年)	中国(2012 年)	美国(2012 年)	德国(2012 年)
高技能就业者的比例(d_{38})		11.7	43.1	42.2
信息通信技术在组织模式创新方面的作用(d_{42})	4.3	4.7	5.4	5.0
大学毕业生创业的比例(d_{43})		2.0	15.3	9.8
风险投资成交额(d_{48})	31.2	39.0	93.8	61.9
反垄断政策有效性(d_{55})	4.0	4.2	4.9	4.8

从三国代表性指标比较结果可以看出，d_{38}和d_{43}代表了中小创新创业者中的人才技能情况和年轻人的创新意愿，其他三项则分别是组织模式创新、投融

资活跃度和公平保障机制的表现。中国在 d_{42} 和 d_{55} 的比较中略微接近美、德两国，这说明在硬件技术和配套政策方面中国与国际水平的靠近，但也说明进一步寻求突破空间的有限性。在其他各项中，中国还有着不小的差距。这表明：中国的追赶既要注重以市场需求刺激创新个体提高技能水平，更要重视实用性的职业技能教育，同时以市场化手段对待金融监管和权益资本管制，使得用于创新的资本流动更具活力。

从中国自身纵向比较结果可以看出，d_{42}、d_{48} 和 d_{55} 的数值均有了明显上升，这说明中国创新创业环境基本好转，技术驱动下的组织形式创新、融资方式创新均处于上升阶段，尤其是政府对垄断行为的抑制始终在强化，这有助于保护中小企业的创新激情，为它们的专业化、精细化发展提供公平环境。d_{38} 和 d_{43} 由于 2008 年的数据不可获得，因此无法进行比较。

8.2.2 主体策略：动态协作与价值置换

微观领域创新活动主要分为两类：一类是中小企业的产品、服务和内部管理创新；另一类是以创新为主营业务和核心价值的创业活动，本研究着重加以刻画的是第二类。值得注意的是，自 1978 年以来的中国，创新和创业的各自独立表述早已不是新鲜概念，随着市场经济的发展常常演化出不同形态。近十年来，尤其是 2015 年中国高层将创业、创新确认为经济增长新引擎，提出了一系列国家战略举措以来，创新与创业活动出现了以下新的融合趋势：

(1) 创新创业团队整体上趋于年轻化、高学历化。伴随着中国市场机制和商业模式的不断完善，加之就业形势的日益严峻，共同营造了社会中浓厚的创造氛围。青年人拥有感知变化、尝试新奇的天赋，他们的择业观也已发生改变，更愿意接受风险和挑战，许多刚刚走出高校校门的毕业生选择运用知识、应用研究成果白手起家，越来越多的工商、企业管理教育和培训也为这一趋势提供了交流和沉淀的场合。

(2) 基于移动网络的商业模式盛行，不仅培育出了一批线上的创新企业和平台，也在传统行业掀起了一股“互联网+”的变革热潮。互联网经济以低成本要素、扁平化结构和开放式链接为特征，十分契合起步创新创业者的思维特征和现实能力。互联网崇尚体验价值、用户为王，能够帮助不同业态的经营者拓展业务渠道、培育链接新的用户群，创造倍数级的影响力和价值。借助这种优势，不少线上业者布局线下市场，走入写字楼和社区，开展营销或赞助公益，寻找精准化的分众群体资源和合作机会。反之亦然，线下实体店铺也在学习利用网络平台分享信息、创造话题、提供个性化定制和各种便利服务，补缺了由于“势单力微”造成的在传播范围、服务成本上的各项短板。

(3) 跨界组合，创意无限，促进整个社会的人才、信息、知识涌流。创业者在选择发展方向时，不再受限于所学专业或现有资源，不同技能背景的创新群体组合不仅能各司其职，关键时刻跨学科的异质思维还能激发新的灵感和创意。例如，2015 年 10 月李克强总理曾经考察过的北京中关村 3W 创意空间，它以众筹创业为主题、实体咖啡馆为载体，集聚了企业家、创业家、投资人等人脉圈层，通过会员体系为创业者提供投融资服务、知识培训、办公空间等服务。在创新创业中，每个个体都将自己长期浸染在新知识和技能中，学习它们的时间大为缩短，成本也有了很大程度的削减，整合运用的能力更是有了质的提高，这些具备组织经营经验、拥有解决多种问题能力的创新人才，是创新型社会不可多得的财富。

总体看来，中小企业和创业者的创新创造正在进入活跃期，但有一些问题和阻碍仍值得我们关注。结合毕守峰、孔欣欣的梳理，我们归纳成如下几点：① 创新资源匮乏，尤其是资金和人力方面，表现在对核心岗位和关键技术人才的需求最旺盛,经常出现同行业中竞争对手“互挖墙脚”的情形(毕守峰, 孔欣欣, 2012);② 难以独立完成复杂的创新任务,创业者群体能够认识到外部链接和协同的必要性,但合作关系主要建立在产业链中的直接商业伙伴和人际交往之间,布局偏窄,且缺少机制保障这种合作一以贯之;③ 在发起的所有创新活动中,研究活动偏少,尤其在低技术知识密集的行业,主要从事过程创新,集中于包装、销售、服务等后端,对研发新品、增进性能等积极性和能力储备均不够。

研究组认为,上述问题反映了中小企业和创业者的瓶颈遭遇,这是它们自身不足和从业劣势的显现,可以思考从优势方向寻求规避和突破。首先,业态虽小,但创始人或核心团队拥有绝对控制决策权,可以通过实践创新生态中常见的价值置换概念,将自己的优势以一定的形式出让换取需求,借力成事,如通过股权激励设计与有研究条件的研究机构、高校达成科研委托合作(徐德英, 韩伯棠, 2015),同时帮助后者的实验室成果转化应用,各取所需。其次,针对中小企业和创业者分散的业务布局和盲目的资源、人才搜索方式,可由行业组织或政府牵头,在集聚度高、互补性强的区域率先试水公开的交易平台,尝试稀缺人才在没有利害关联的企业间交流兼职,使生产、交换、享受创新生态式的公共服务更为便捷。最后,创新组织形式,依靠头脑风暴和众筹力量实践创意,以“小想法”撬动“大产业”,如火如荼的创客运动正是这一理念的最好表现。其秉持开源、共享的信条,将生产参与、用户体验和产品完善改进融为一体,也为草根合作完成精细尖端的创新任务创造了条件,制造和工艺上的精益求精更释放出比肩专业团队的换代速度和执行力。随着大规模量产的优势褪去,创客模式在未来制造变局中的价值值得期待(徐思彦, 李正风, 2014)。

8.3 生产性服务业

8.3.1 代表性指标比较与分析

中国与美国、德国同期和自身纵向比较(三)如表 8.3 所示。

表 8.3 中国与美国、德国同期和自身纵向比较(三)

代表性指标	中国(2008 年)	中国(2012 年)	美国(2012 年)	德国(2012 年)
全球前 150 名智库数量(d_{20})	5	6	11	12
集群发展状况(d_{23})	53.20	59.67	67.12	68.56
百万人口知识产权使用费(d_{26})	0.11 亿	0.13 亿	1.25 亿	0.75 亿
三方专利数(d_{29})		9.86 亿	124.51 亿	47.73 亿
知识密集型服务业商标申请数占全部服务相关商标申请数的比例(d_{51})	55.8	66.5	56	59.5

从三国代表性指标比较结果可以看出,d_{26}和 d_{29}代表了生产性服务业的知识成果产出,d_{20}和 d_{51}代表了知识型服务机构的生长情况,d_{23}则展现了服务业与其他创新主体的融合发展状况。中国在 d_{51}的比较中领先于美、德两国,这

说明我国生产性服务业发展对知识、技术、信息等要素条件的重视。在 d_{26} 和 d_{29} 的比较中，中国均远远落后于美国、德国，这说明我国目前基于产权、专利的创新知识基础还很薄弱，要推进高校和研究机构向业界进行更有针对性的知识共享和成果转化，从根本上解决服务业资源短缺、服务低端化的问题。

从中国自身纵向比较结果可以看出，d_{23} 和 d_{51} 的数值均有了明显上升，以集群发展繁荣为基础，生产性服务业应需求而生，为创新主体提供平台式、集约化的科技服务，这也进一步印证了创新主体抱团发展的优势。d_{51} 从企业主体增长的角度佐证了这种服务载体对商业模式的变革和渗透。d_{20} 和 d_{26} 在数值上均有了小幅增长，这说明对知识库和产权成果的使用和分享正在不断普及。d_{29} 由于 2008 年的数据不可获得，因此无法进行比较。

8.3.2 主体策略：业务整合与平台优化

生产性服务业是为工业、制造业提供配套保障的服务业的统称，它从第二产业中的生产服务部门逐步剥离独立出来，是第二、三产业融合发展的关键环节。本研究采用豪威尔斯（Howells）和格林（Green）对生产性服务业外延的阐释，认为生产性服务业主要包括保险、金融（银行）、商业（广告、市场研究）等领域的服务业，以及面向特定行业的专业服务（会计、法律）和科技服务（研究开发、咨询、信息、中介）等。其提供的服务紧密关联客户对象的全产业环节，尤其是针对致力于创新的企业和创业者，信息知识密集、高度专门化的生产服务业能够有效提升企业的经营效率、降低管理成本，而这些新兴产业的快速成长也倒逼生产服务业不断优化服务品质，催生了难得的发展机遇。

在生态化的国家创新理解中，生产服务业的地位发生了变化。在以往的研究和实践中，它常常被定位为制造业和其他产业的附属部分，前者依附后者而存在，本身并不能向市场提供独立的、直接的服务效用。在创新生态系统中，生产服务业摆脱了这种从属地位的束缚，成为独立的创新主体，与产业部门在平等的关系下进行协同互动。在整个市场和知识网络中，生产服务业是创新外溢性表现最为明显的节点（任苒，李晓西，2011），其通过创新外溢对服务对象的影响甚至到了决定企业生死存亡的地步。例如，精准的供需关系使得生产服务业的知识输出能够直接触发企业的知识创新（康健，胡祖光，2015），同时由于生产服务业长期专注于趋势把握和市场观察，对从研发、设计到投资、开发的某一领域或多个领域都会有超前于当时的趋势感知和成果建构，这为产业界压缩创新周期、实施战略型决策赢得了宝贵时间。

从第 7 章的实证测度结果来看，中国在服务机构分维度和创新市场的相关指标得分上与世界先进水平还有不小的差距。按照创新生态的系统标准去衡量生产服务业的未来发展，以下趋向是可以预见的：

（1）逐步转变生产服务业在国家创新中的辅助地位，强化主体意识，瞄准战略性新兴产业，依附需求抢占新的生态位，创造新的服务形态，拓宽服务种类，同时健全中介机能，推动意向企业间直接合作，并鼓励有实力、信誉良好的服务企业通过跨界兼并、重组发展大型服务业集团，实现高质量、标准化的服务模式在更大范围内的覆盖。

（2）在面对中小创新企业和创新者时，进一步发挥好平台职能，维护好平台准入普适化与服务定制化的统一，在此基础上摸索一套成熟的营利模式，如利用关键技术占据某一特定战略环节并形成优势的定位模式；突破原有业务界限，开发衍生服务产品的延伸模式；将核心业务集中增持、缺乏优势的一般性业务外包的分解模式，以及牵头其他创新生态伙伴聚合彼此专长、横向扩张虚拟价值链的整合模式等（李向辉，2009）。

（3）升级服务品质，完善自身建设。更多更快地为生产服务业减轻监管束缚、减少行政干预，促使它们由被动的接单经营、靠政策养活向寻找需求主动出击、依靠客户资源口碑和品牌经营转变，所依赖的核心业务也可由借贷租赁、物流、电子商务等向企业诊断、管理咨询、科技中试等知识技术更密集、更高附加值的领域逐渐转换，向打造类平台、高端化、一站式的社会化服务组织不断发展。

8.4 大学和研究机构

8.4.1 代表性指标比较与分析

中国与美国、德国同期和自身纵向比较（四）如表8.4所示。

表8.4 中国与美国、德国同期和自身纵向比较（四）

代表性指标	中国（2008年）	中国（2012年）	美国（2012年）	德国（2012年）
公共教育支出占GDP的比重（d_5）	3.4	4.3	5.6	5.1
全球前400名大学数量（d_{18}）	11	16	109	26
科研机构质量（d_{19}）	4.4	4.2	5.8	5.6
国际科技论文篇均被引用次数（d_{28}）		6.92	15.99	13.68
每千名就业者中研究人员的数量（d_{37}）	1.09	1.83	8.74	8.38

从三国代表性指标比较结果可以看出，d_5 代表了公共财政对教育事业的投入力度，d_{18} 和 d_{19} 代表了全球尺度下大学和研究机构的发展质量，d_{28} 和 d_{37}

代表了大学和研究机构的成果产出与培育的人才被社会接纳的程度。中国在所有指标的比较中均处于劣势，尤其是 d_{28} 和 d_{37}，论文被引次数证明了研究领域的地位和学术价值，研究人员占就业者的比例说明了社会分工对知识和技术的依赖程度，也对未来社会阶层的流动分化趋势产生着深远影响。在社会生态化的背景下，怎样协同学研机构进口和出口两端不同标准的沟通和融合，是政策方亟须思考的。

从中国自身纵向比较结果可以看出，d_5、d_{18} 和 d_{37} 的数值均有了不同程度的上升，这说明国家财政对公共教育事业持续投入的增长，更多的高等院校逐渐在国际尺度的评价中跻身世界前列，同时研究型人才在整个社会就业方阵中所占比重也在缓慢爬升。d_{19} 在数值上出现了小幅波动，这说明对科研机构质量的评价标准正在多元化，依靠单一的成果导向发展可能难以为继，需要借鉴创新先发国家的规划经验。d_{28} 由于 2008 年的数据不可获得，因此无法进行比较。

8.4.2 主体策略：人才培育与知识协同

在国家创新的传统格局中，大学和研究机构不仅是科学研究的高地、人才培育的摇篮，而且是启迪社会文明、提供社会服务的重要场所。在创新生态视域下，高校与社会的这种关系演进更为凸显，高校的优势在于知识积累和人才储备，依靠它们实现对经济社会的辐射作用，也能反过来在战略层面上提升高校的创新能力和竞争力。这种协同演进关系可做如下两种解读：其一，这是一种整合，当知识需求方认识到自身欠缺解决某方面问题的知识和人才时，拥有这部分资源的高校及时进行供给，整合行为就促成了问题的解决；其二，这是一种管理过程，处于创新生态系统中的主体依据价值观、任务、需求和环境上的关联性选择创新伙伴，通过知识在伙伴间的转移、吸纳、消化，以及在平台基础上的相互学习促进知识再生，实现由知识资源向知识创新成果的转化。我们倾向于将两种视角结合形成创新生态系统下高校的知识协同路径选择：问题解决和知识管理导向并重，通过优势整合实现创新溢出。

第一，大学和研究机构希望通过自身的战略调整，能够积极融入国家创新生态，并创造协同价值，其首要前提是对本身的知识和人才基础状况进行准确识别，同时搜索所在生态位带来的网络优势。这不仅包括传统的知识和人才储备，还有组织形象、专利、版权、名誉等无形资产和创新创业活动带来的隐性经验，结合本组织所处的生态系统节点及外部环境特征，识别出可以上传共享成为系统服务的优势资源，通过合作和置换获取所需服务的输入，以提升原本非优势或匮乏的资源位势。

第二，通过组织和学习提升发掘竞争优势、强化服务社会能力。组织上要破除体制的约束，创造运用新的组织形态（如深圳清华大学研究院的“四不像”模式①），导出具有应用前景的实验室成果对接市场，加速成果转化和具有市场思维的人才培育，同时成为助推区域发展的创新引擎；在学习方面，无论是在校学生的培养还是面向更广阔人群的网络课程教授，都应重视参与者的兴趣和自主选择，打破时空、学科、管理权限等的限制，推动优质教育资源的开放共享，通

① 深圳清华大学研究院是由深圳市政府和清华大学共建，以企业方式运作的事业单位。“四不像”模式是对其在实践中创立的组织形态的理论概括，具体描述为：研究院既是大学又不完全像大学，文化不同；研究院既是科研机构又不完全像科研院所，内容不同；研究院既是企业又不完全像企业，目标不同；研究院既是事业单位又不完全像事业单位，机制不同。

过目前已经比较成熟的 MOOC① 等开放式学习模式，帮助更多的人平等地获取知识，更好地履行教育和科研机构的社会服务功能。

第三，做好所处生态位的界面管理，完善与系统伙伴间的协同布局。大学和研究机构身处一定的系统生境中，与邻近的社区、城市、产业集群等利益相关方都有着交错复杂的生态关联，彼此影响并共同成长。在管理生态伙伴关系的实践中，可以借鉴美国斯坦福大学工程学院对创新协同方的界面管理模式（能丽，陈劲，2015），将利益主体与管理行为进行模块化匹配，如在校内推进交叉前沿学科的协同研究、人文与科技领域的融合创新，对外支持前瞻性学科对接相关行业，积极参与政府合作，加入区域的发展规划和创新型联盟建设。界面管理的成功，能够提高关系管理的价值和效率，使生态伙伴的关系布局更为清晰，也为破除原有部门、任务的限制，促进知识、人才、信息、服务的溢出交互、竞相涌流打下了基础。

8.5 政府部门

8.5.1 代表性指标比较与分析

中国与美国、德国同期和自身纵向比较（五）如表 8.5 所示。

① MOOC(Massive Open Online Courses)是大型开放式网络课程的简称，最早起源于美国，高校通过设立网络学习平台，在网上提供免费公开课程，为更多有主动知识需求的人创造零门槛进行系统学习的可能。目前在中国，以中国科学技术大学为代表，已有不少高校开通了 MOOC 平台，推动了优质教学资源的共享，为社会提供了更广泛的教育服务。

表 8.5 中国与美国、德国同期和自身纵向比较(五)

代表性指标	中国（2008 年）	中国（2012 年）	美国（2012 年）	德国（2012 年）
法律框架内解决纠纷的效率（d_2）	3.9	4.2	4.5	4.9
政府决策透明度（d_3）	4.5	4.5	4.4	5.0
R&D 经费支出中政府资金所占比例（d_{17}）		16.3	12.1	14.7
政府在线服务（d_{33}）		53	100	75
市场监管质量（d_{57}）	43.2	42.1	82.4	88.8

从三国代表性指标比较结果可以看出，d_2 和 d_{57} 代表了政府利用法律、行政监管等手段进行调控，以为创新发展提供良好的环境，d_3 和 d_{33} 是政府本身决策公开性、有效性的体现，并能够根据信息化发展提供更为便捷的服务模式，d_{17} 则展现了政府对研发活动的资金注入。中国在 d_{17} 的比较中领先于美、德两国，这说明我国各级政府将研发作为重要的创新创造形式予以扶持，也从另一个侧面说明了研发资助主体的单一性。在 d_{33} 和 d_{57} 的比较中，中国均较大幅度落后于美、德两国，这说明我国政府目前要转变作风、与时俱进地打造服务型职能还任重道远，而对于市场监管，也要看结果是否为创新活动提供了便捷和支撑，明确制定自身的权责清单，是下一步的当务之急。

从中国自身纵向比较结果可以看出，d_2 的数值出现小幅上升，这说明法律作为政策工具在规制创新市场中的效率进一步提升。d_{57} 在数值上出现了小幅回落，这说明市场监管的手段在面对新问题、新情况时还显得不够有针对性，需要注重宏观秩序的掌控，而非对微观细节管得过多过死。d_{17} 和 d_{33} 由于 2008 年的数据不可获得，因此无法进行比较。

8.5.2 主体策略：战略设定和嵌入参与

发展国家创新生态，旨在以生态化的理念重新梳理对国家创新活动的统筹、引领和评价，逐步建立起决策多元和利益分享机制，提升公共服务质量，培育创新主体的自组织性，从而促进科技进步对经济和社会的反馈，激发全社会的创造潜能。这考验着顶层设计和制度安排，也体现着各级政府的施政智慧。

通过将中国数据与创新生态优势国家的横向对比，结合上述对于国家创新生态的描述，我们提出以下发展创新生态的建议：

（1）从组织形式来看，由于形成过程的长期性，创新生态的完善和对先发国家的追赶无法立竿见影，需要国家层面的中远期规划，改进政府对创新创业活动的管理方式和组织机制，将创新生态构建而非具体事务管理摆上首要位置的观念亟须树立。在创新生态中，政府是规则制定者和关系协调者，要以生态系统的共同利益为出发点，从宏观上对创新生态进行全局性的战略设定和方向掌控；同时，创造条件为创新活动提供充分的外部性要素支持，并向社会和市场适时让渡权力，培育生态中各主体的自组织机能，激励它们为系统生产服务的尝试，进而通过服务共享实现对多元化需求的回应。

（2）从参与方式来看，政府应减少对具体创新活动的安排和干预，而应通过市场嵌入、平台催化和服务集成等方式发挥积极作用。市场嵌入是对政府、市场和社会三者关系的重置，为的是破除创新发展中的“孤岛困局”，在嵌入过程中实现价值归属。政府要注重知识创新和创业创新的结合，加快集研究、产业、资本、教育等于一体的多栖化组织孕育，进而实现创新认知价值和经济价值的双向识别和相互转化。共生式"平台"是创新生态的核心战略,也是培育社会化创新力量的"温室"。平台不仅服务原始创新者,也能将传统产业融入创新生态,以先进生产力推进业态演化。在创新生态框架下,企业、研究机构、高等院校、社会组织等参与主体通过占据有利的创新生态位,积极融入平台战略,以自身优势和系统服务置换创造价值,以互补性合作和良性竞争提升发展空间,最终实现共生共荣。作为创新生态系统的设计者和主导者,政府有责任以所有参与主体的共同利益为考量,以需求为导向强化服务和公共效能,催化平台反应、集成海量服务,利用普惠性政策的制定支持释放新的市场机会,适时适地进行针对创新的生态治理试验。

(3) 从影响因素来看,政府要善于通过作用于系统演化的各种驱动力,为驱动力产生正向效应创造条件,逐步引导创新文化的形成。驱动力虽然不能直接为主观意志所左右,但彼此之间的协作组合能够加强主体之间的联系,对松散耦合的生态系统起到很好的黏合作用。由此可见,政府借助改变环境和要素的互动方式,可以开源式地思考价值创造路径,创造更多的创新生态位,增加系统组成部分的可替代性,进一步扩展和完善创新生态系统。

需要特别强调的一种基础认知是,2012 年只是研究组选取的一个进行三国比较的时间节点。由于美国、德国均为世界领先的发达国家,其创新生态的成熟度指标在这一节点依然具有明显的先发优势。而中国属于快速追赶型国家,仅 2008～2012 年的发育速度即可见其优势更在于随时间而形成的加速度。因此,如果将比较年限后移到 2016 年,研究组相信中、美、德三国创新生态成熟度的比较情况会有新的演化。

8.6 实例分析：苏州纳米产业与区域融合创新——建构一个趋向成熟的创新生态系统的实践

苏州在中国东南经济发达地区版图中历来坐拥重要地位，在市场经济发展初期，苏州利用优越的区位优势，积极对接跨国资本的全球价值链，通过聚焦加工贸易发展，完成了工业资本的初步积累。到了21世纪初，苏州的城市战略面临新的选择：经济发展对外资的过于依赖，导致本土企业的生存和赢利能力受到挤压；自主创新成果的欠缺使得产业升级步伐放缓；传统的丝绸化工和家电代工产业趋向饱和，需要新兴产业的引入提升附加值，以保持区域竞争中的引领位置。在城市发展规划中，顺应建设创新型国家的决策部署，苏州市提出加强科技创新载体和平台建设，培植科技创新技术源，寻找一种前瞻性技术，作为发展新材料、生物医药和生物技术等新型产业的突破口。

21世纪初，苏州市已有纳米应用企业的落地，一个标志性的突破是，2006年，苏州市利用独墅湖高教区优质的科教资源等积极因素，吸引到了国家级最具代表性专业科研资源——中国科学院新建苏州纳米研究所的入驻。苏州市政府以此为契机参考硅谷模式，以高强度布局引进培育新企业建设生物纳米科技产业园，并围绕中国科学院纳米研究所布局纳米产业基地。此后数年，数个专职纳米技术的孵化应用载体相继诞生：2007年成立国家纳米技术国际创新园；2010年成立国有资产企业苏州纳米科技发展有限公司，下设启纳创投和产业技术研究院两个子公司，以政府强力推动模式主导产业和技术发展；2013年苏州纳米城正式投入运营，苏州纳米产业进入规模发展快车道。截至2014年底，园区纳米技术企业已近300家，其中38家产值超亿元，另有50家产值在1000万～5000万元之间，全年纳米企业产值204亿元，占整个苏州工业园区产值的十分之一（苏州园区本为中国名列前茅的科技-工业园区）。

工业园区管理方携手处于产业生态圈和区域内的各种社会力量等多元主体，共同开展产业和区域治理的创新生态实践，在纳米产业发展和社会建设上均取得了令人瞩目的成就。

8.6.1 政府促成利益共生的治理服务

苏州工业园区成立于1994年，是中国与新加坡首个政府层面的合作项目，其在园区建设发展中借鉴了新加坡的治理经验，实施扁平式的决策机制。因此，直面治理现实的园区管理方拥有更多的政策自主权，在纳米产业从无到有再到强的过程中，园区管理方主导了产业和社会治理进程，通过履权或授权方式实施战略规划和资源整合，寻找治理各方的利益交叉点，以优质服务的提供与企业和社会对接，促成了共生多赢局面的实现。

苏州是全国首个将纳米应用产业作为引领转型升级的战略性产业发展的城市，也是首个为此出台了纳米产业专项政策的城市。根据落户企业的规模、发展阶段和具体需求，设置中试平台型、重点投资型、总部型等分众化的入驻方案，对企业的用房用地也提供个性化定制。全部纳米产业被划分为四大领域：纳米新材料、微纳制造、能源与清洁技术和纳米生物技术。园区编制了园区纳米创新能力报告和纳米企业资源手册，用来介绍所有企业的主营业务和核心技术，帮助它们实现上下游合作。为了最大限度地简化企业办事流程，利用互联网建立企业信息空间，企业用户在空间注册登录后，账号能够直达多个职能服务系统，集中查收和办理不同事务，建立起政企之间的高效互通渠道。

自2007年起，工业园区每年组织社会专家对区域内的纳米产业创业项目（包括领军、成长、孵化三类项目）和领军人才进行评级，根据落地项目和团队职能的成熟度，获奖者获得包括从科贷支持、股权投资到配套补贴、家属安置在内的一揽子优惠政策。2011～2014年，共有66个项目获得资助，占申报总数的一半以上。2015年，438名领军人才分享了1.6亿补贴，园区人才总量居全国所有开发区首位。

针对中小企业和创业者的融资难题，园区管理方组建了专注于纳米领域项目孵化的融资中介——启纳创投，对园区纳米企业摸底调研，定期发布园区技术应用产业关系图，以帮助风投资本了解各产业环节的重点企业、核心优势和发展趋势，增强投资针对性；考虑到种子期项目的实际需求，启纳创投还探索了租金转股、服务入股等公私利益互通模式，综合各方资本扶持企业发展。

联通产业区域生态内各方寻找利益交集，也是政府治理服务的重要部分。为了使生态圈内外各方了解彼此诉求，加快新技术转化和产业链形成，园区与中国科学院合作成立了产业技术创新与育成中心（以纳米领域为主兼顾微米），将中国科学院一些转化性强的成果引进并进行产业转化。苏州市还联合园区科技局组建了纳米技术应用产业联盟，联通传统型规模企业和纳米技术企业，将上游技术的产权转移与下游产品的采购应用一体筹划，加速园区纳米产品“从实验室到家庭”的步伐。这些措施对于整合内外部资源、共建治理生态起到了积极作用。

8.6.2 搭建多方参与的治理平台

平台战略是苏州纳米产业治理的工作组织形式。园区内拥有细分程度极高的各式平台，涵盖了从技术支持、知识产权服务到投融资对接的诸多领域，政府、科研机构、投资者、企业、服务中介各方参与其中，共建共享，在平台中寻找互补型资源，为价值置换创造条件。即使是初创型企业，一旦接入平台的"源端口"，马上便能获得成熟的集群资源分享。

研发服务平台：围绕微纳制造、印刷电子、纳米碳材料等重点分支的产业化需求，园区形成了基础研究、应用研究、工程化中试和公共技术服务四类服务型平台。在纳米城，为了降低MEMS(微纳机电制造)产业的进入门槛和成本，园区依托产业技术研究院成立了提供研发和代工的中试平台——MEMS分公司，开展产品工艺委托研发、MEMS加工、知识产权运营等业务；在生物纳米园，公共技术平台为企业提供分析测试、设备验证、采购培训等服务，并与区内企业合作，参与它们的药剂管理、药物高通量筛选和生物药中试放大等多项业务。

专利平台：组建纳米技术专利运营中心统筹管理，主要工作一是对本领域和本区域的纳米专利资源进行摸底和分析，以便对创业创新项目进行专利评估，促成企业的专利交易；二是聚焦重点领域，展开纳米专利情报搜集，尝试专利技术的收储、集成和再创新，并为企业提供针对性强的专利策略建议。由政府牵头搭建的专利数据库，利用苏州纳米研究所的信息情报中心为集群内企业提供专利申请和查询服务(前期由政府补贴)。在已经获批国家专利导航实验区的背景下，园区正在探索依托集群内专利协同运用进一步提高自主度，引领产业高端发展。

标准化平台：作为全国范围内的纳米产业高地，苏州很早就成立了专职的纳米技术标准化促进中心，编制区域化的纳米材料标准，引导全国的产业标准化进程。2015年研究组调研时，苏州正在联合国家纳米中心、上海纳米产业促进中心各方筹建国家纳米产业技术与标准联盟，以行业标准制定者的身份履行技术标准研制、产品技术认定、检测机构资质认定、标准信息服务等职能。

产业协同平台：创办纳米技术产业投资俱乐部，进行投融资对接、创业经验分享等活动，并不定期组织“午后纳米茶”活动，邀请政府、科研机构、风投方、中介机构、有转型需求的传统企业和纳米技术专项企业的代表参加，每期设定一个主题，讨论纳米触控、锂离子电池等新兴产业分支的发展。企业间还通过体外诊断行业沙龙、车库咖啡等方式，使创业者和创业项目彼此交流和了解。

8.6.3 形成网络化治理生态

社会责任网络：区域产业经济的发展并不意味着治理的完成，产业集聚过程中新出现的社会问题包括：企业自身的经营规范、信用体系、劳资关系以及与周边社区的友好关系、参与公益等，呼吁社会责任的建立。工业园区的规划中提出要打造现代化、园林化、国际化的新城区，一个重要工作就是以企业社会责任建设为抓手，探索区域社会治理新模式。2010年，由园区牵头、众多企业响应成立了“企业社会责任联盟”，围绕企业的经济责任、消费责任、员工责任、环境责任和公益责任共五个核心主题展开活动。

2010～2015年，企业不断持续着对自身社会责任的发掘：弥补警力不足、维护社会稳定的“胜浦治安义警”；以苏绣、园林、苏州味道等本地元素为主题，展开与艺术家深入对话的“生活飨宴”；号召企业共同推进绿色低碳发展的环保接力活动；社企共建结对、组织公益、运动、交友等品牌活动的“社企直通车”等。企业逐渐认识到履责与创造经济价值并不矛盾，在服务社会的过程中也能找到自身业态创新的良方，例如苏州金龙客车推出的“G-BOS智慧运营系统”能够监测并分析每辆客车的运行情况，产品上线后生产方与交通管理部门合作，使之帮助司机改正不良驾驶习惯，有效保障了区域交通安全。调动市场和社会力量参与区域治理创新，苏州的尝试取得了良好的效果。

区域合作网络：早在2002年，苏州市就开始在工业园区独墅湖附近筹建高等教育区，国内外24所著名高校先后在此设立分校或研究院，2006年中国科学院纳米研究所的入驻，进一步强化了发展纳米产业的地缘优势。校企合作、所企合作密集展开，逐渐形成网络化的合作形态。

区域合作的最大成就是人才和教育模式的输送，高教区优先培育适应园区主导产业发展的高端应用型人才，使纳米产业人才能够“就地取材”，依托中国科学技术大学、苏州大学、中国科学院纳米研究所等培养单元，从本科到博士后的全体系纳米人才培育模式已经成形。截至2014年底，园区拥有在校的纳米专业学生3500多人。高教区内的诸多中小学，依托中国科学院纳米研究所和园区内的科普展教企业，开发特色纳米课程资源，将纳米技术与日常理、化、生课程教学连接起来。

创新与社会的互动也是区域合作的重要议题，园区内的纳米科普强调纳米是一种未来化的生活方式，将之与低碳环保的未来社会理念相结合，呼吁人们了解纳米知识、拥抱“纳米生活”。中国科学院纳米研究所和园区内一些企业设置了专职的纳米科普人员，部分企业将科普与基础教育相结合，借助其上游公司的技术优势打造纳米科普教育产品(纳米创新实验室、纳米实验课程计划等)，并计划依托图书、视频、动漫等载体，研发纳米科普低幼化新模式，向各个年龄段的需求受众渗透。2014年10月，园区主办的“纳生活”科普展开幕，运用多媒体互动等形式介绍了纳米技术在生活、医药、军事等各方面的应用，其间举办“我眼中的纳米”文章征集、纳米科技创意设计大赛等活动，旨在广大市民中普及纳米知识、营造学习先进科技的氛围。

国际合作网络：为了实现全球尺度下的优势互补和资源整合，苏州市创立了“纳米中心”集聚模式，吸引国际各纳米强国设立办事机构，目前已有中芬纳米创新中心、荷兰高科技企业中国中心和捷克技术中国中心入驻园区；2015

年，园区的国际教育培训（冷泉港亚洲 DNA 学习中心）和国际物流（生物材料国际物流平台）产业起步，并期望以此为枢纽，实现产业要素的跨国集群式对接。

自 2010 年起，在苏州园区举办每年一度的“中国纳博会”已经成为国内最大的纳米技术应用和产业交流展会。每年的展会由分行业的学术研讨、应用对接洽谈、产业发展高峰论坛、国际纳米战略圆桌会议等分议题组成，来自国际政产学研界的代表分享和交流各自成果，寻找产业合作契机。2014 年有 8 个纳米集群、25 个国际专业机构、500 余家企业参展。生命科学界权威的冷泉港亚洲会议（CSHA）也常年落户苏州，良性催化着区域学术文化的发展。美国国家纳米委员会的报告中已将苏州纳米集群列入全球八大微纳制造园区之一。

第 9 章
结论与展望

创新生态系统理论研究距离首度被提出已有 20 多年的时间，国家范畴的创新生态研究却始终处于理论探索阶段，日趋白热化的国家创新竞争呼唤对这一命题更为清晰的理论阐释和面向现实的实证研究。正是为了回应这一前沿诉求，研究组提出“怎样理解和如何评价国家创新生态”这一问题，设置了“发展成熟度”的评价标尺，建构了创新生态系统的综合评价模型，希望通过国家创新生态成熟度评价为中国的创新生态培育提供政策与工具参考。

9.1 结论

第一，对于创新生态系统的概念解析以及与国家创新的融合，研究组通过将创新生态与已有创新视角的对比甄别，明确了创新生态是在新的全球创新趋势下具有前瞻意义、能引导创新环境包容友好、创新主体多方共赢、创新要素流动共享的范式选择这一认知。在中国步入经济新常态的当下，发展创新生态与促进经济结构升级、把握自主创新机遇、支持创业创新的大环境和政策诉求密切关联，创新生态系统能够优化创新活动与经济、社会、文化、生态发展的协调一致，这从另一个方面佐证了在中国发展创新生态系统的当下契合性。

第二,在创新生态系统的培育进程中,创新主体需要通过服务的生成和共享,借助各种驱动力的作用,在一个完整的生态周期内不断追求既定的系统目标,即希望通过运作实现共生共荣的创新环境、协作互补的创新机构、平台共享的创新资源、各尽其才的创新人才和自由开放的创新市场。五个要素维度彼此间具有一定的重叠性,共同形成成熟的国家创新生态系统。

第三,基于创新生态成熟度建构的指标体系和综合模糊评价的结合来完成评价目标,在三国实证测度环节,通过总体和各分维度得分的比较,一国创新生态发展的优势与短板一目了然,此类结果可作为中国向创新生态系统模式政策倾斜的工具应用和决策参考。

第四,在"国家创新生态系统的发展思考"这一部分,为了便于梳理,研究组按照参与主体进行了分类:生产性服务业要推进业态整合和服务升级,打造优质平台;大学和研究机构要做好界面管理,发挥协同价值,通过组织和学习提升发掘竞争优势;政府部门一方面要对创新生态进行全局性的战略设定和方向掌控,另一方面也要通过市场嵌入、平台催化和服务集成等方式,善于创造演化条件,发挥积极作用。苏州纳米产业与区域融合的实例证明:创新生态在中国具有一定的现实条件和先例借鉴,这一符合时代趋势和政策布局的创新方法论,值得研究总结和实践推广。

9.2 展望

在未来的研究中,需要进一步细化对创新生态成熟度的评价。在已有指标体系中,指标的选择考虑了指标意义切合性与实证数据易得性的平衡。如果希望继续完善指标体系，就必须一方面在更大范围内寻找更符合创新生态系统发展趋势的指标，另一方面加强数据的可获得性，使单一国家的纵向比较和多国同一尺度的横向比较在结构上更趋完整、更有依据。

对成熟度的国际横向比较揭示了示范性测试各国在创新生态发展上的优势和不足，研究组希望关注到同一国家在不同年份的创新表现，建立纵向参照系，为建构常规化监测方法提供依据，但目前这一步工作进行得还很不够。同时，在评价中逐步把握好创新生态发展中各国路径间共性和个性的关系，从“平台-服务-驱动力”的具体演化关系对创新生态进行特征识别和趋向预判。

附录
研究中已提炼但未选用指标的说明

研究组从2013年开始提炼创新生态系统的评价指标，但定型及试验性评测时不仅分歧多，而且困难也接踵而至，其间的正式讨论多达30轮，包括中国科学院与中国科学技术大学为主的研究团队持续探讨近3年，直到2015年底测评指标才基本确定。其主要原因包括：

(1) 创新生态的指标与创新能力的指标不同，有相当多数量的指标是不可以直接量化的，因此按照通常方式进行评测的难度较大，如果没有权威机构的数据积累与方法借鉴，靠我们研究组的力量是不可能完成一批“软指标”数据的获取的。而如果将这些“软指标”舍弃，那么创新生态独具魅力的系统价值就难以存身了。

(2) 有若干设计的指标最初认同度很高，但做中、美、德三国比较评价时发现它们没有国际数据源，指标的实操价值无法落地；有若干指标三国中只有一国或两国有权威的数据，另两国或一国完全没有，没有办法操作；有若干指标的数据只有较早年份的，试验评价选择的2012年及之后没有数据，没有办法操作；有的指标本身放在我们构建的指标体系里较贴切，但国际权威数据发布机构因为各种原因已经用新的指标替代，没有办法操作。

原因多种多样，虽然在本研究中存在采纳困难，但是我们觉得有不少未选用的指标未来仍然可能具有较多的用途，对其他研究者和我们下一步工作的参考意义仍然存在，因此以“现指标”和“原指标”一一比照的方式做替换理由刻画,希望能展示我们构建创新生态系统指标体系中若干或许有意义的思考与过程,如附表 1 所示。

附表 1 "现指标"替换"原指标"的理由

一级指标	二级指标	指标替换	替换理由
创新环境	人文环境	现:人类发展指数 原:公民科学素养	原指标最新数据无法获取,现指标对各国的人类发展状况有总体性评价
		现:人均每年读书年本数 原:科技文化基础设施人均拥有率	原指标各国统计口径不一致,现指标包括了纸质图书和电子图书阅读量的总和
	生态环境	现:可再生能源发电能力 原:① 每 10 亿 GDP 的社会危机领域(如减缓气候变暖)PCT 专利申请量;② 清洁能源发电占全国发电总量的比例	原指标①缺少近年数据,原指标②各国对"清洁能源"定义与统计口径不同
创新机构	产业机构	现:① ICT 服务出口占服务总出口的比重;② 企业研发投入 原:① 信息技术类企业占全部企业总数的比重;② 国家工程技术研究中心数量;③ 开展内部创新的中小企业占中小企业总数的比例	原指标①没有最新数据,用现指标①替代可体现 ICT 服务的国际影响力,原指标②各国命名与级别评定无法接轨,原指标③为 EIS 旧指标,现已没有数据
	科研机构	现:科研机构质量 原:国家实验室数量	原指标各国对国家实验室没有统一的概念和地位、作用描述,现指标可刻画科研机构质量的国际比较全貌
	服务机构	现:① 全球前 150 名智库数量;② 每百万平方千米科技园区数量 原:① 企业创新孵化器数量;② 高新技术开发区数量	原指标①无法对孵化器进行统一标准意义上的数量测度,原指标②的表述不规范,使用"科技园区"这一国际范例表述更佳

续表

一级指标	二级指标	指标替换	替换理由
创新机构	机构合作	现:① 高校和政府部门研发活动中企业资助的比例;② 集群发展状况;③ 合资、战略联盟协议情况 原:① 企业和公共组织的创新合作;② 参与合作创新的中小企业占中小企业总数的比例;③ 研发支出总量中外国资助的比例;④ 企业国内国际创新合作度	原指标①、③均有国别数据缺失,②、④均为EIS旧指标,现已没有数据;现指标均为已有创新评价体系中的成熟指标
创新资源	创新经费	现:① 研究开发投入占GDP的比重;② 百万人口知识产权使用费;③ 取得信用贷款的便利度 原:① 基础研究投入占政府投入经费的比重;② 政府研发投入占GDP的比重;③ 企业研发投入占GDP的比重;④ 早期风险资本占GDP的比重	将原指标②、③合并为现指标①,原指标①、④均有国别数据缺失,加测了知识产权费和信用贷款便利度两个维度
	知识基础	现:国际前2000名机构知识库数量 原:① 专利密度;②国际前100名机构知识库排名	专利密度已在其他维度有所体现,将机构知识库排名扩展到2000是为了便于国别比较的显性化
	交通网络	现:① 国际客运吞吐前100名机场数量;② 公路质量 原:① 高速公路里程占公路总里程的比重;② 高铁通车里程占铁路总里程的比重;③ 航班客流数	原指标对各国高速公路和高铁的界定不同,无法对接;现指标分别测度国内交通基础设施质量和国际交通繁荣度

续表

一级指标	二级指标	指标替换	替换理由
创新资源	信息网络	现:① 政府在线服务;② B2C 电子商务使用情况 原:① ICT 投入占 GDP 的比重;② 移动终端普及率	原指标有国别数据缺失;用两个使用信息网络进行政府服务、电子商务的指标测度替代原指标,使评测更具实践意义
创新人才	人才分布	现:① 企业全职研究人员的比例;② 每千名就业者中研究人员的数量;③ 高技能就业者的比例 原:① 完成三级教育人口占总人口的比重;② 每百万人口中研究人员的比重;③ 高技术产业就业人口占就业人口的比重	原指标缺少最新的国别数据,因此采用三个新指标分别测度企业研究人员、就业者中的研究人员和高技能就业者的状况
	人才培育	现:① 接受职业教育人次占劳动力总数的比例;② 中等教育师生比 原:① 接受职业教育培训人次/年;② 人均读书年本数	原指标②已调整到创新环境中测度,替换后现指标形成了对高等教育、职业教育、中等教育的全覆盖测度
	创新激情	现:信息通信技术在组织模式创新方面的作用 原:每百万个中小企业中创业板、新三板、美国纳斯达克中高新技术企业占中小企业总数的比重	原指标德国缺乏相应的机制支撑数据比较,且已有创业方向的数据测度;现指标加测了 ICT 技术引领下管理和组织创新的发展状况
	人才流动	现:① 国际交流学生净流入值;② 人才外流状况 原:① 境外科研人口占科研总人口的比例;② 出国留学人员归国人数年增长率	原指标的国别比较数据均有缺失;现指标①为趋势测度,可体现一国教育文化的国级吸引力;现指标②将“留学人员”拓展为“全部人才”,测度其外流状况

续表

一级指标	二级指标	指标替换	替换理由
创新市场	创新需求	现:① 风险投资成交额;② 企业层面的技术吸收;③ 创业所需天数 原:① 资源高效型创新企业比例;② 创新支出占销售总额的比例;③ 每百万人口知识产权使用费;④ 技术收支占 GDP 的比重	原指标均有不同程度的国别数据缺失,且测度集中于创新经费领域,较片面;新指标测度的是动态可量化的风险投资、技术吸收和创业便利度状况,可以体现出经济发展中创新带来的活力
	创新绩效	现:① 知识密集型服务业商标申请数占全部服务相关商标申请数的比例;② 每千人拥有国际顶级域名数 原:① 企业新产品销售收入占销售总收入的比例;② 高技术产业增加值占制造业增加值的比例;③ 国际三方专利领先度	原指标①、③均有国别数据缺失,原指标②与已有指标重叠度较大;现指标主要从大众创新角度测度创新经济的繁荣程度
	市场机制	现:① 反垄断政策有效性;② 市场监管质量 原:① 反垄断程度;② 经济体法治水平	用现指标①取代原指标①使测度更注重政策的效率性,用现指标②取代原指标②说明了监管市场不仅需要法律手段,还是政策、经济、法律等手段综合作用的结果

参考文献

REFERENCE

鲍克,1994.市场经济中的技术创新政策[J].科学学研究,12(4):47-54.

毕守峰,孔欣欣,2012.中小企业创新面临的主要问题及对策研究[J].中国科技论坛(9):83-88.

蔡晓明,2000.生态系统生态学[M].北京:科学出版社.

陈劲,李飞,2011.基于生态系统理论的我国国家技术创新体系构建与评估分析[J].自然辩证法通讯,33(1):61-66.

陈劲,王焕祥,2008.演化经济学[M].北京:清华大学出版社.

陈敬全,2010.欧洲创新体系的测度与评估:基于欧洲创新记分牌的指标、方法和应用情况的分析[J].全球科技经济瞭望,25(12):5-18.

洪晓军,2008.创新平台的概念甄别与构建策略[J].科技进步与对策,25(7):7-9.

蒋小燕,2009.国家创新系统的国际比较[D].厦门:厦门大学.

康健,胡祖光,2015.战略性新兴产业与生产性服务业协同创新研究:演化博弈推演及协同度测度[J].科技管理研究(4):154-161.

李昂,2015.基于史密斯理论的我国转基因技术应用政府规制研究[J].科技管理研究(23):200-204.

李建平，孙晓蕾，范英，等，2011.国家风险评级的问题分析与战略思考[J].战略与决策研究，26(3)：245-251.

李向辉，2009.基于价值链的中小企业创新服务平台赢利模式研究[J].科技进步与对策，26(22)：115-118.

柳卸林，孙海鹰，马雪梅，2015.基于创新生态观的科技管理模式[J].科学学与科学技术管理，36(1)：18-27.

刘友金，易秋平，2005.技术创新生态系统结构的生态重组[J].湖南科技大学学报(社会科学版)，8(5)：67-70.

鲁若愚，张鹏，张红琪，2012.产学研合作创新模式研究：基于广东省部合作创新实践的研究[J].科学学研究，30(2)：186-193.

陆立军，郑小碧，2008.区域创新平台的企业参与机制研究[J].科研管理，29(2)：122-127.

梅亮，陈劲，刘洋，2014.创新生态系统：源起、知识演进和理论框架[J].科学学研究，32(12)：1771-1780.

能丽，陈劲，2015.高校知识协同与研究能力提升机制：基于斯坦福大学与浙江大学的案例研究[J].科技进步与对策，32(10)：119-123.

钱辉，张大亮，2006.基于生态位的企业演化机理探析[J].浙江大学学报(人文社会科学版)，36(2)：20-26.

任锦鸾，2009.创新机理：基于复杂性科学的视角[M].北京：科学出版社.

任苒，李晓西，2011.生产性服务业创新发展研究[J].北方经济(1)：49-50.

沈锭荣，王琛，2012.企业动态能力与技术创新绩效关系研究[J].科学管理研究，30(2)：54-58.

斯托克斯，1999.基础科学与技术创新[M].北京：科学出版社.

孙锐，李海刚，石金涛，2008.能力成熟度模型在组织知识管理中的应用研究[J].

研究与发展管理,20(2):64-70.

谭劲松,何铮,2009.集群自组织的复杂网络仿真研究[J].管理科学学报,12(4):1-14.

汪洁,王洪亮,2014.基于行动者网络理论的创新生态系统模型构建[J].商业时代(12):36-38.

王海花,谢富纪,周嵩安,2014.创新生态系统视角下我国实施创新驱动发展战略的"四维"协同框架[J].科技进步与对策,31(17):7-10.

王明,2013.基于发展能力模糊评价的知识型城市发展路径研究[D].合肥:中国科学技术大学.

王明,吴幸泽,2015.战略新兴产业的发展路径创新:基于创新生态系统的分析视角[J].科技管理研究(9):41-46.

王志刚,2015.创新驱动发展战略与科技创新[J].行政管理改革(10):17-20.

吴志攀,2015."大众创业、万众创新"的局面何以形成:对北京大学部分青年校友创业情况的观察与初步分析[J].北京大学学报(哲学社会科学版),52(3):40-43.

徐德英,韩伯棠,2015.政策供需匹配模型构建及实证研究:以北京市创新创业政策为例[J].科学学研究,33(12):1787-1796.

徐思彦,李正风,2014.公众参与创新的社会网络:创客运动与创客空间[J].科学学研究,32(12):1789-1796.

杨荣,2014.创新生态系统的界定、特征及其构建[J].科学与管理(3):12-17.

曾国屏,苟尤钊,刘磊,2013.从"创新系统"到"创新生态系统"[J].科学学研究,31(1):4-12.

曾国屏,李正风,1998.国家创新体系:技术创新、知识创新和制度创新的互动[J].自然辩证法研究,14(11):18-22.

张小宁,2014.平台战略研究评述及展望[J].经济管理,36(3):190-198.

张永民,2007.生态系统与人类福祉:评估框架[M].北京:中国环境科学出版社.

赵放,曾国屏,2014.多重视角下的创新生态系统[J].科学学研究,32(12):1781-1788.

赵士洞,张永民,2006.生态系统与人类福祉:千年生态系统评估的成就、贡献和展望[J].地球科学进展,21(9):895-902.

赵新泉,彭勇行,2008.管理决策分析[M].2 版.北京:科学出版社.

赵中建,王志强,2010.国际视野下的创新评价指数研究[J].科学管理研究,28(6):1-7.

朱学彦,吴颖颖,2014.创新生态系统:动因、内涵与演化机制[C].中国科技政策与管理学术年会.

Adner R, 2006. Match Your Innovation Strategy to Your Innovation Ecosystem[J]. Harvard Business Review, 84(4): 98.

Adner R, Kapoor R, 2010. Value Creation in Innovation Ecosystems: How the Structure of Technological Interdependence Affects Firm Performance in New Technology Generations[J]. Strategic Management Journal, 31(3): 306-333.

Altbach P G, 2004. Higher Education Crosses Borders[J]. Change, 36: 18-24.

Andersen J B, 2011. What Are Innovation Ecosystems and How to Build and Use Them[EB/OL]. http://www. innovationmanagement. se/2011/05/16/what-are-innova-tion-ecosystems-and-how-to-build-and-use-them/2011.

Archibugi D, Michie J, 1997. Technological Globalization or National Systems of Innovation[J]. Futures(29).

Asheim B T，Coenen L，2006. Contextualising Regional Innovation Systems in a Globalizing Learning Economy：On Knowledge Bases and Institutional Frameworks[J]. The Journal of Technology Transfer，31(1)：163-173.

Castellacci F，Natera J M，2013. The Dynamics of National Innovation Systems：A Panel Cointegration Analysis of the Coevolution Between Innovative Capability and Absorptive Capacity[J]. Research Policy，42(3)：579-594.

Chesbrough H，2007. Why Companies Should have Open Business Models [J]. MIT Sloan Management Review，48(2)：22-28.

Chesbrough H，Schwartz K，2007. Innovating Business Models with Co-development Partnerships[J]. Research-Technology Management，50 (1)：55-59.

Choo C W，Bontis N，2002. The Strategic Management of Intellectual Capital and Organizational Knowledge[M]. New York：Oxford University Press.

Council on Competitiveness，2005. Innovate America：National Innovation Initiative Summit and Report[R]. Washington D C：Council on Competitiveness.

Cross S，2013. Strategic Considerations in Leading an Innovation Ecosystem [J]. Global Business Review，2(3).

Cusumano M A，2011. The Platform Leader's Dilemma[J]. Communications of the ACM，54(10)：21-24.

Dollinger M，2009. Closing the Innovation Gap：Reigniting the Spark of Creativity in a Global Economy[J]. Business Horizons，52(5)：513-514.

Dvir R, Pasher E, 2004. Innovation Engines for Knowledge Cities: An Innovation Ecology Perspective[J]. Journal of Knowledge Management, 8(5): 16-27.

Edler J, Georghiou L, 2007. Public Procurement and Innovation: Resurrecting the Demand Side[J]. Research Policy, 36(7): 949-963.

Ehrlich P R, Raven P H, 1964. Butterflies and Plants: A Study in Coevolution[J]. Evolution, 18(4): 586-608.

Estrin J, 2008. Closing The Innovation Gap: Reigniting the Spark of Creativity in a Global Economy[J]. Industry Week, 257(11): 62.

Europe P I, 2015. Innovation Union Scoreboard 2014[R]. The Innovation Union's Performance scoreboard for Research and Innovation, Komisja Europejska, Bruksela.

Folke C, et al. , 2005. Adaptive Governance of Social-Ecological Systems[J]. Annual Review of Environment and Resources, 30: 441-473.

Freeman, 1987. Technology Policy and Economic Performance: Lessons from Japan[M]. London: Printer.

Fukuda K, Watanabe C, 2008. Japanese and US Perspectives on the National Innovation Ecosystem[J]. Technology in Society, 30(1): 49-63.

Geels F W, 2005. Processes and Patterns in Transitions and System Innovations: Refining the Co-evolutionary Multi-Level Perspective[J]. Technological Forecasting & Social Change, 72: 681-696.

Gibbons M, Limoges C, Nowotny H, et al. , 1994. The New Production of Knowledge: The Dynamics of Science and Research in Contemporary Societies[M]. Sage.

Harrison C, 1993. Ecosystem Health—New Goals for Environmental Management[J]. Ecological Engineering, 2: 378-379.

Hirvikoski T H, 2009. A System Theoretical Approach to the Characteristics of a Successful Future Innovation Ecosystem[J].

Iansiti M, Levien R, 2004a. Strategy as Ecology [J]. Harvard Business Review, 82(3): 68-78.

Iansiti M, Levien R, 2004b. The Keystone Advantage: What the New Dynamics of Business Ecosystems Mean for Strategy, Innovation, and Sustainability[M]. Harvard Business Press.

Jackson D J, 2012. What is an Innovation Ecosystem [J/OL]. www. erc-assoc, org/docs/innovation_ecosystem, pdf, 2012-11-28.

Janzen D H, 1980. When is it Coevolution[J]. Evolution, 34(3): 611-612.

Kemp R, et al. , 2007. Transition Management as a Model for Managing Processes of Co-evolution Towards Sustainable Development[J]. International Journal of Sustainable Development and World Ecology, 14 (1): 78-91.

Kirchhoff B A, Phillips B D, 1988. The Effect of Firm Formation and Growth on Job Creation in the United States[J]. Journal of Business Venturing, 3(88): 261-272.

Laperche B, Uzunidis D, von Tunzelmann N, 2008. The Genesis of Innovation: Systemic Linkages Between Knowledge and Market[M]. Edward Elgar Publishing Limited, UK.

Leemans H B J, Groot, 2003. Millennium Ecosystem Assessment: Ecosystems and Human Well-Being: A Framework for Assessment[J].

London: Island Press.

Li Y R, 2009. The Technological Roadmap of Cisco's Business Ecosystem[J]. Technovation, 29(5): 379-386.

Lundvall B A, 1992. National System of Innovation: Towards a Theory of Innovation and Interactive Learning[M]. London: Printer Press.

Mercan B, Goktas D, 2011. Components of Innovation Ecosystems: A Cross-Country Study [J]. International Research Journal of Finance and Economics, 76: 102-112.

Metcalfe S, Ramlogan R, 2008. Innovation Systems and the Competitive Process in Developing Economies[J]. Quarterly Review of Economics & Finance, 48(2): 433-446.

Moore J F, 1993. Predators and Prey: A New Ecology of Competition[J]. Harvard Business Review, 71(3): 75-83.

Moore J F, Curry S R, 1996. The Death of Competition: Leadership and Strategy in the Age of Business Ecosystem[J]. Fortune, 133 (7): 142-144.

Nelson R, 1993. National Innovation System[M]. New York: Oxford University Press.

OECD, 1997. National Innovation System[R].

OECD, 2005. Governance of Innovation Systems (Volume 1: Synthesis Report)[R].

Papaioannou T, Wield D, Chataway J, 2009. Knowledge Ecologies and Ecosystems? An Empirically Grounded Reflection on Recent Developments in Innovation Systems Theory[J]. Environment & Planning C

Government & Policy, 27(2): 319-339.

Paulk M C, Weber C V, Garcia S M, et al. , 1993. Key Practices of the Capability Maturity Model Version 1.1[J].

PCAST, 2004a. Sustaining the Nation's Innovation Ecosystems, Information Technology Manufacturing and Competitiveness[R].

PCAST, 2004b. Sustaining the Nation's Innovation Ecosystem, Maintaining the Strength of Our Science & Engineering Capabilities[R].

Porter M E, 1998. Clusters and the New Economics of Competition[M]. Boston: Harvard Business Review.

Porter M E, Stern S, 2001. Innovation: Location Matters[J]. Sloan Management Reviews, 42: 28-43.

Prendergast G, Berthon P, 2000. Insights from Ecology: An Ecotone Perspective of Marketing[J]. European Management Journal, 18(2): 223-232.

Roos G, Fernström L, Gupta O, 2005. National Innovation Systems: Finland, Sweden & Australia Compared[J]. Learnings for Australia, Report for the Australian Business Foundation. Intellectual Capital Service Ltd: 46.

Rothwell R, 1992. Successful Industrial Innovation: Critical Factors for the 1990s[J]. R&D Management, 22(3): 221-240.

Rothwell R, 2007. Public Innovation Policy: To Have or to Have Not? [J]. R&D Management, 16(1): 25-36.

Science C, 2014. OECD Science, Technology and Industry Outlook: 2014[J]. Source OECD Science & Information Technology: i-262.

Sessment M, 2005. Ecosystems and Human Well-Being[J]. Ecosystems and Human Well-Being a Framework for Assessment, 42(1): 77-101.

Smith T B, 1973. The Policy Implementation Process[J]. Policy Sciences, 4 (2): 197-209.

Suarez L, 1990. Invention, Inventive Learning, and Innovative Capacity[J]. Behavioral Science, 35(4): 290-310.

Teecel D J, Pisano G, Shuen A, 1997. Dynamic Capabilities and Strategic Management[J]. Strategic Management Journal, 18(7): 509-533.

Tiwana A, Konsynski B, Bush A A, 2010. Research Commentary-Platform Evolution: Coevolution of Platform Architecture, Governance, and Environmental Dynamics[J]. Information Systems Research, 21(4): 675-687.

U S Department of Commerce's Technology Administration, 2007. Defining "Innovation": A New Framework to Aid Policymakers[R].

Wallner T, Menrad M, 2010. Extending the Innovation Ecosystem Framework[R]. Hagenberg: Upper Austria University of Applied Sciences, School of Business.

Wang P, 2009. An Integrative Framework for Understanding the Innovation Ecosystem[C]//Proceedings of the Conference on Advancing the Study of Innovation and Globalization in Organizations.

Wessner C W, 2005. Entrepreneurship and the Innovation Ecosystem Policy Lessons from the United States[M]//Local Heroes in the Global Village, US: Springer: 67-89.

West J, Wood D, 2008. Creating and Evolving an Open Innovation Ecosystem：Lessons from Symbian Ltd. [J]. Social Science Electronic Publishing.

Zahra S A，George G，2002. Absorptive Capacity：A Review，Reconceptualization，and Extension[J]. Academy of Management Review，27(2)：185-203.

Zahra S A，Nambisan S，2011. Entrepreneurship in Global Innovation Ecosystems[J]. AMS Review，1(1)：4-17.

后 记

EPILOGUE

2008年，经过三年的联合研究，与时任中国科学技术协会发展研究中心主任李士研究员共同主持了专著《国家创新能力发展报告(2008)》的研究与撰写，并由科学出版社于2009年出版。2012年春天，在北京又遇李士研究员，他提出，现在国际的创新语境已由创新能力开始向创新生态转变，中国估计很快也要面对国家创新基本理论的转向，我们是否可以在前期合作的基础上，共同探索立足中国发展战略的国家创新生态系统的理论构建，特别是评价指标体系的研制。交流之后我们一致认为，这项工作虽然难度很大，但对当代中国而言具有非常明晰的研究与实践价值，值得聚焦一试！

在2013～2015年的三年里，中国科学技术大学科学传播研究与发展中心的研究组和国家纳米科学中心发展研究中心的研究组对创新生态系统的基础理论梳理和指标体系建设倾注了大量精力。其间，双方研究组十余次在合肥与北京联合研讨指标体系、数据采集、试验性评测的方法，研究组内部的探索讨论则三年始终持续。2015年6月，基本研究与评价方案已确定，随后进行了中国、美国、德国三国创新生态成熟度的比较评价。2015年底，研究报告正式完成。在这一阶段，汤书昆、李士、林爱兵、李昂、谢起慧、周全、王明等有较多的研究贡献。

2014～2015年，李昂在参考项目组讨论和研究报告的基础上，展开了博士论文的研究，在评价方法上有较丰富的深入拓展，并在2016年完成了以创新生态成熟度评价为中心的博士论文。

2016年后，本书稿的撰写工作开始，研究及表达视域从中国国家创新生态系统整个丛书来规划，突出了中国创新驱动发展的新国策，以及创新要服务中国社会与民众追求美好生活和平衡发展重大转型需求战略目标的最新诉求。2017年12月，书稿撰写完成。在这一阶段，汤书昆、李昂承担了主要撰写修订任务，朱安达、谢起慧、王明参与了若干辅助工作，在此一并记述说明。

汤书昆　李　昂

2018年1月